S0-BKH-740

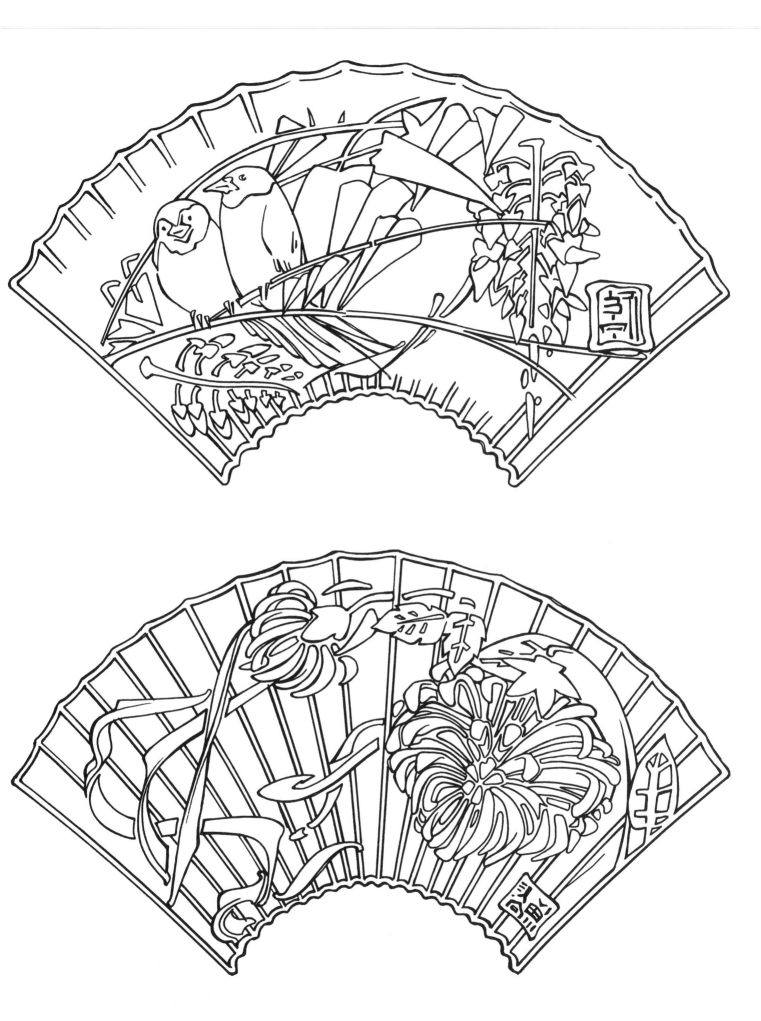

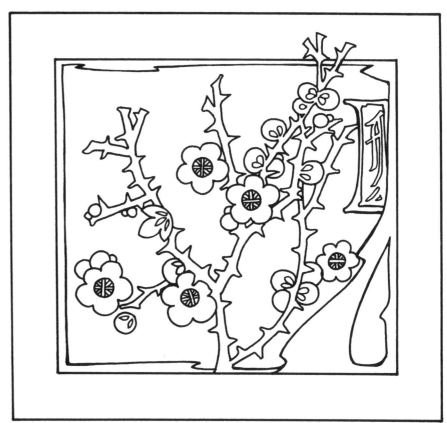

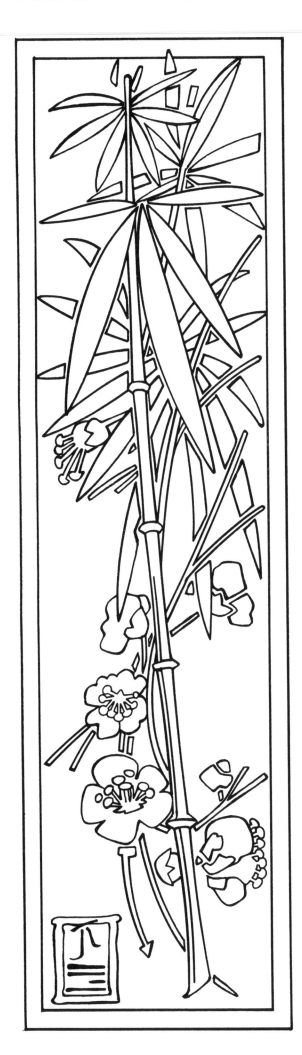

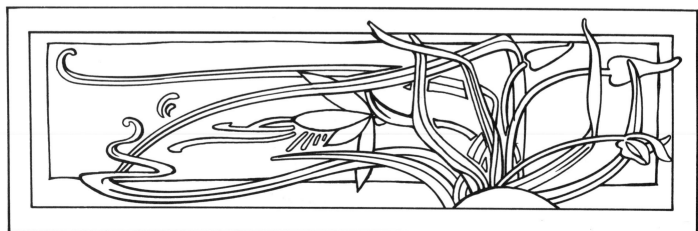

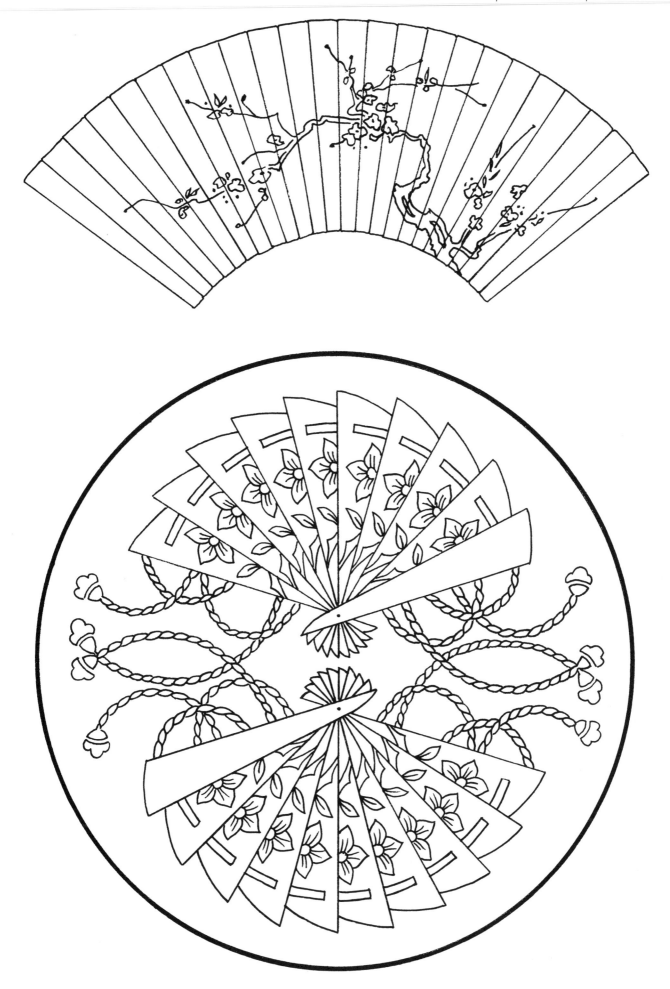

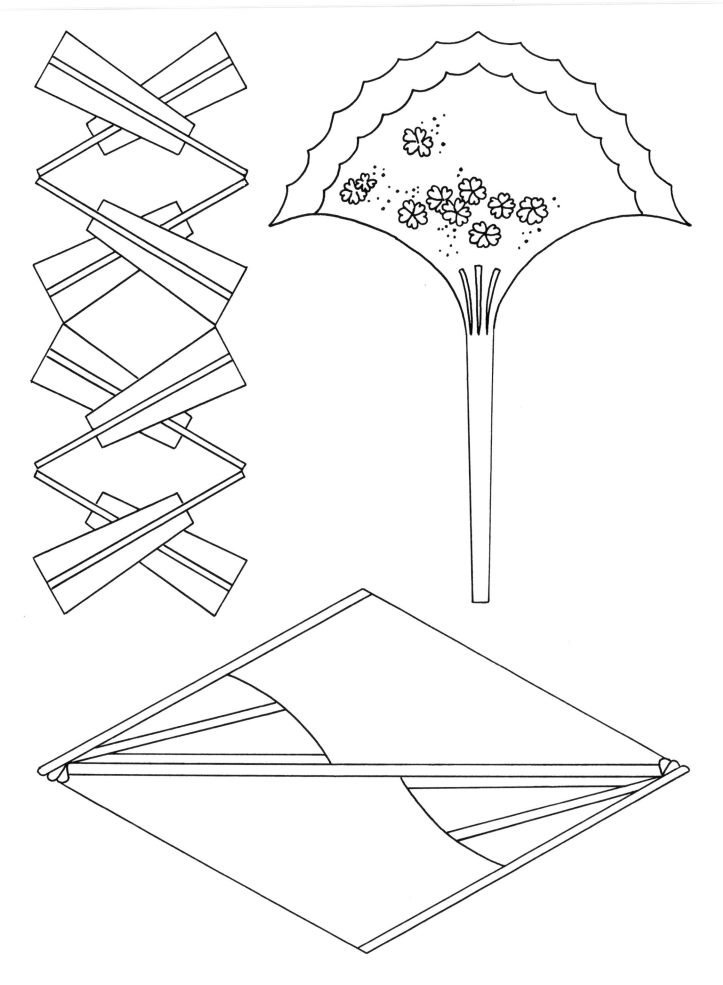

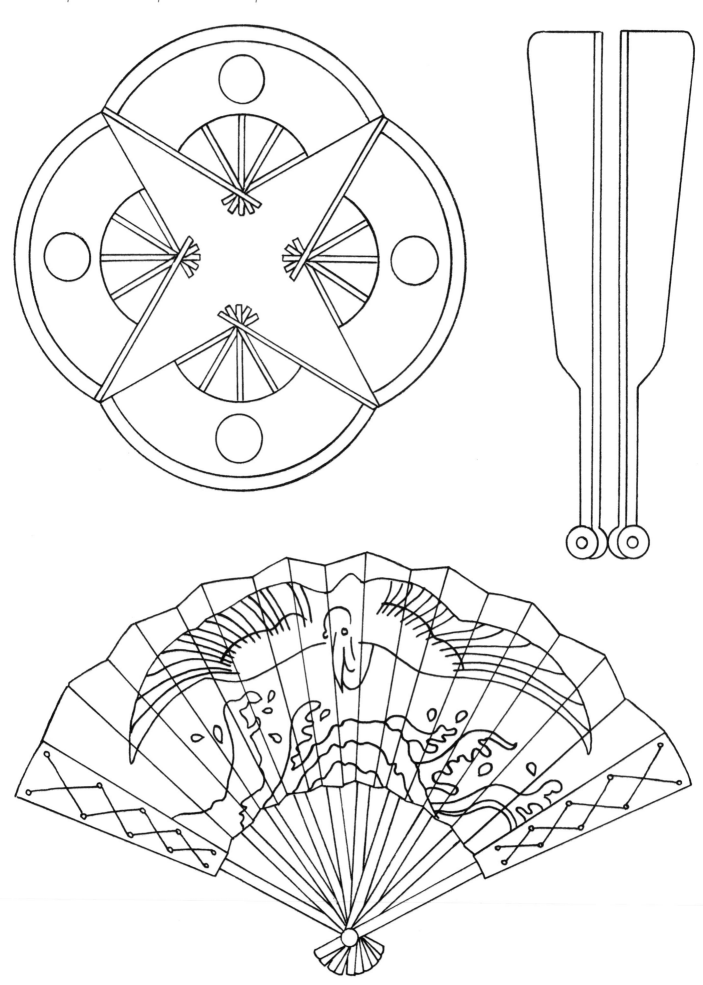

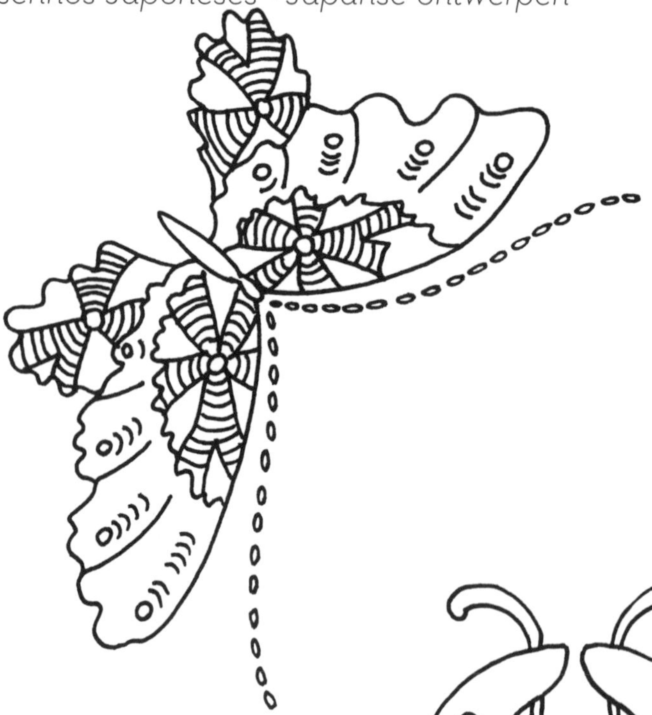

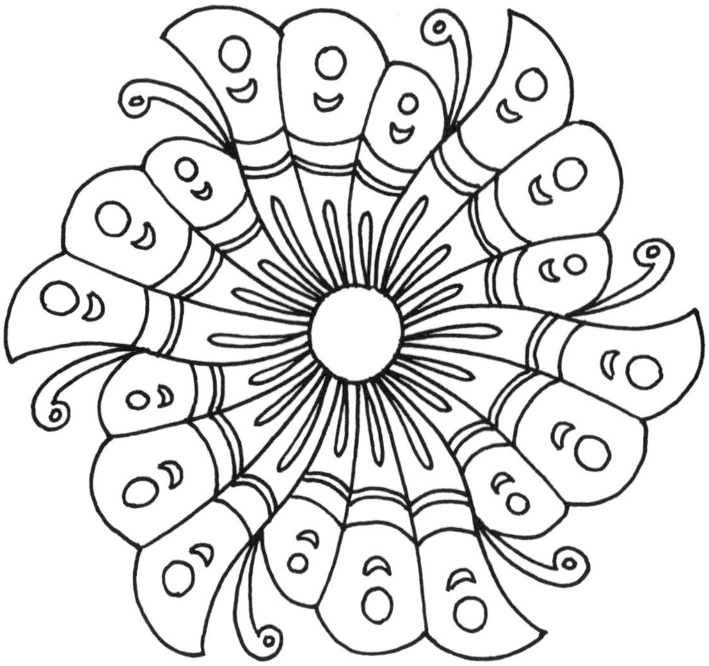

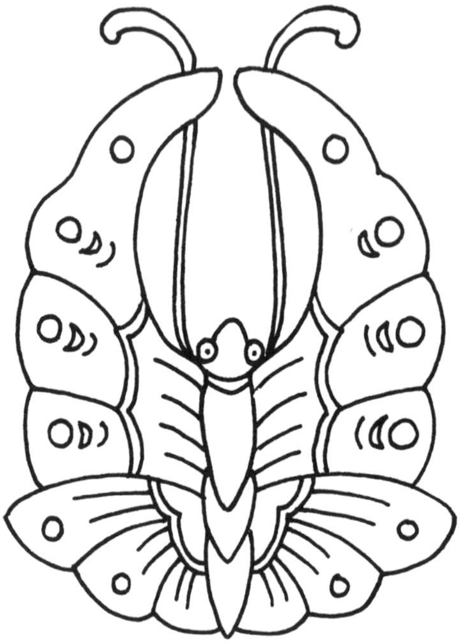

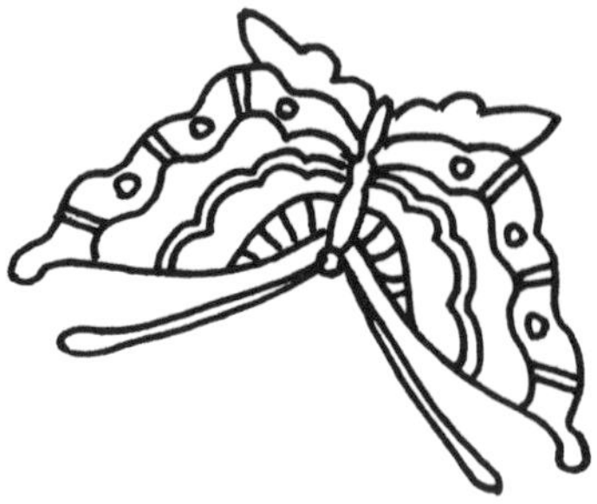

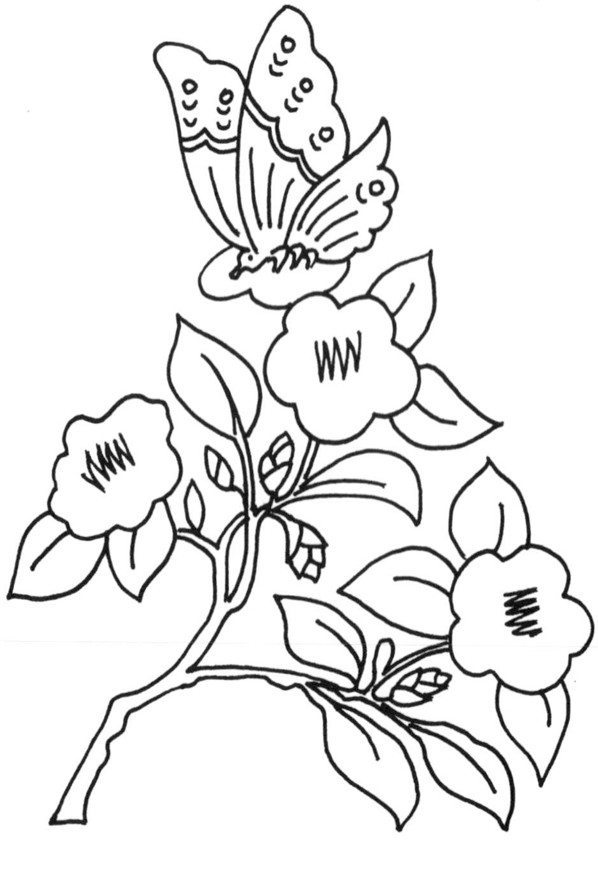

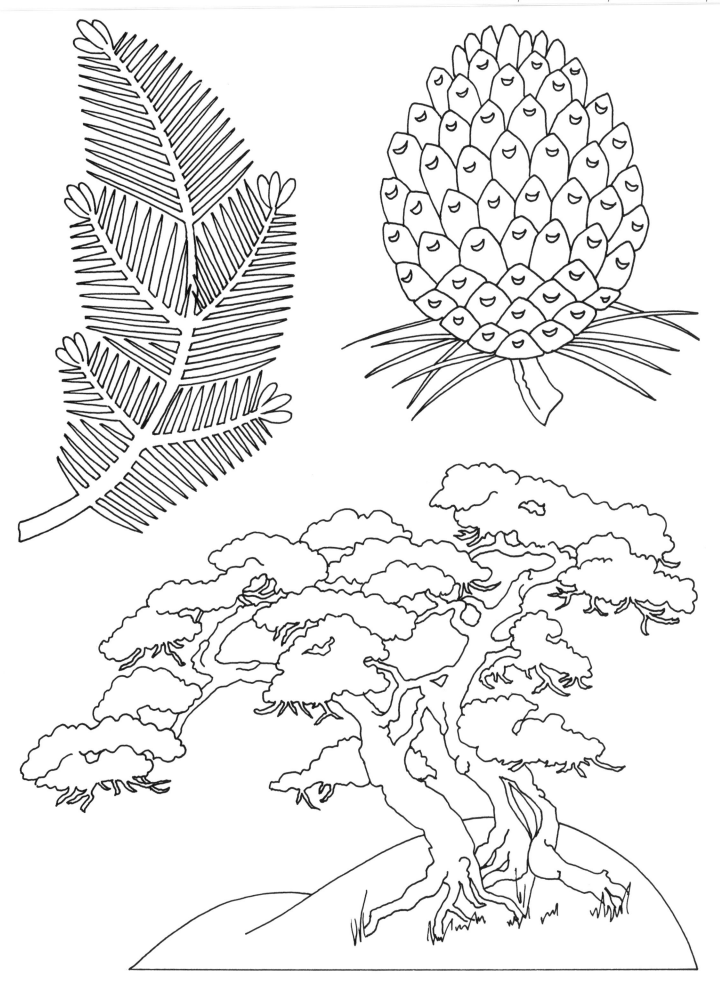

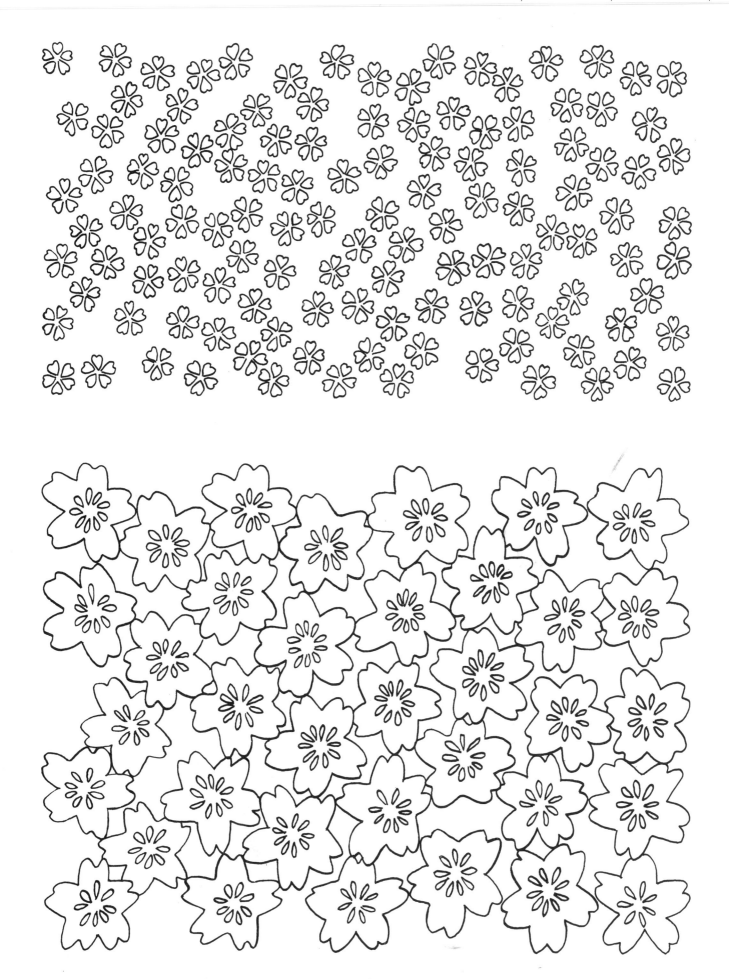

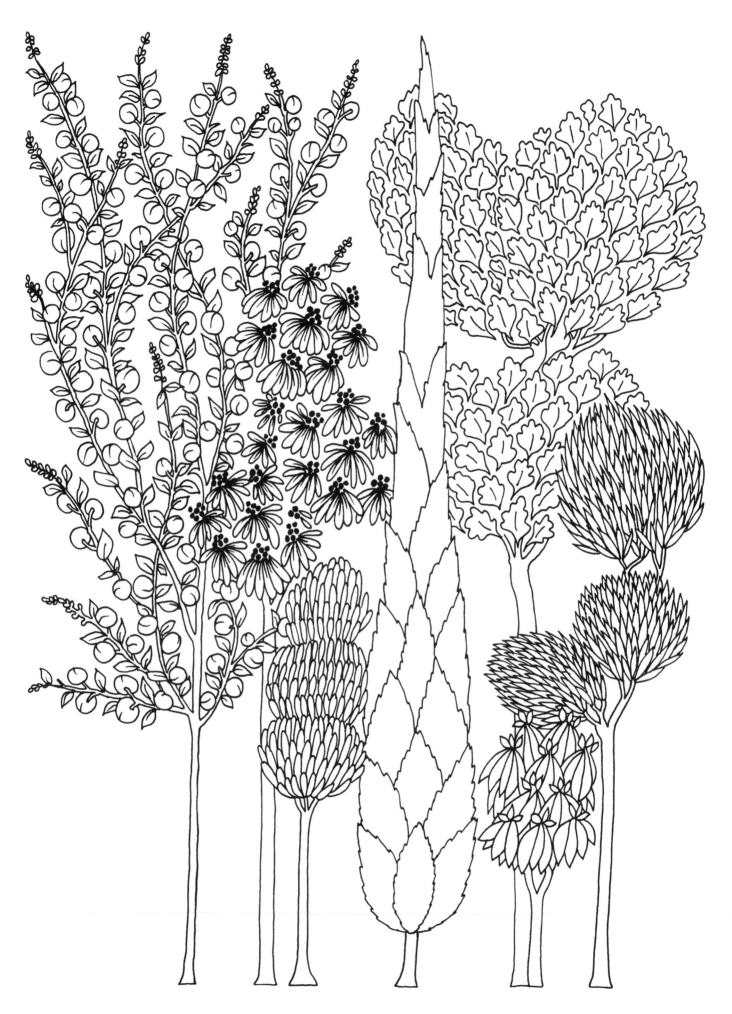

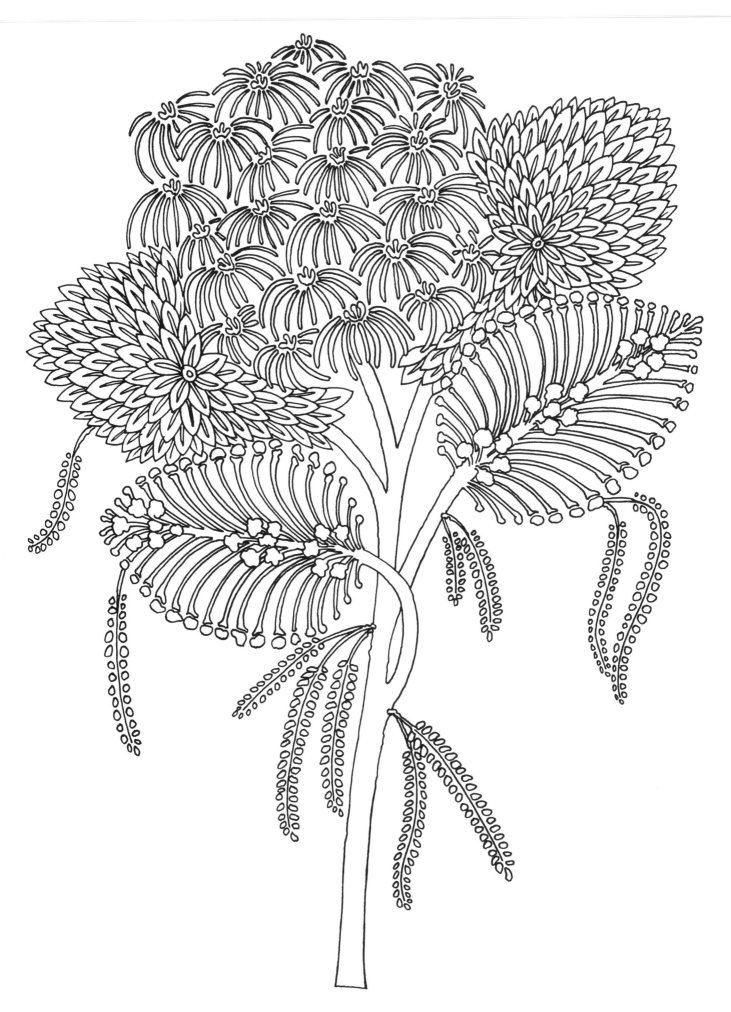

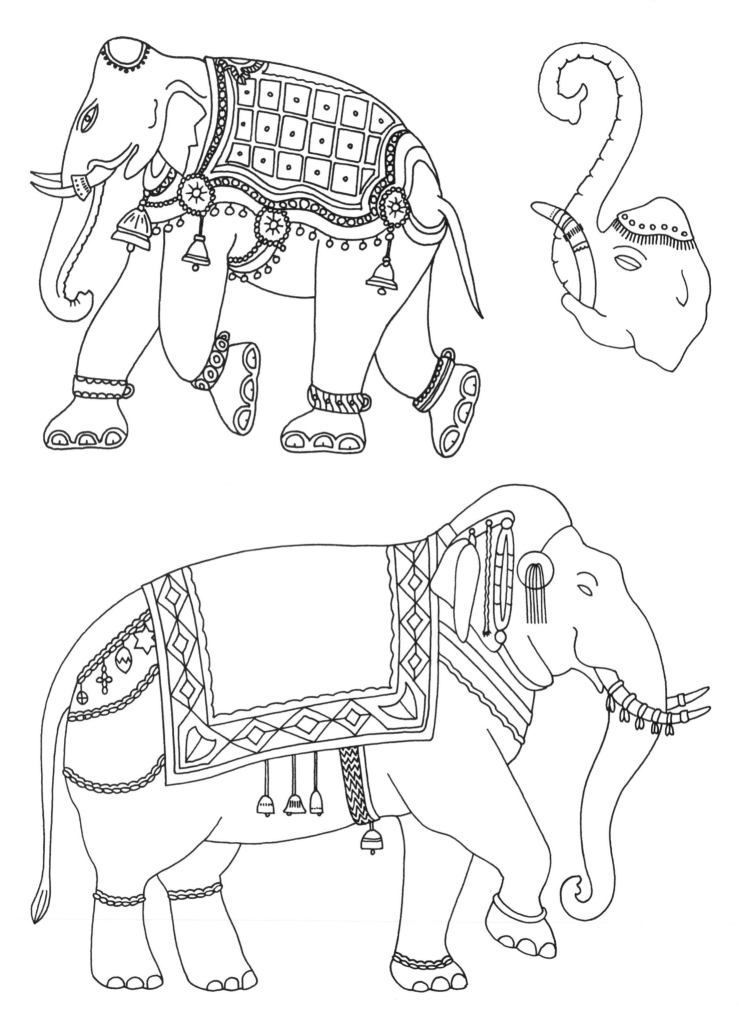

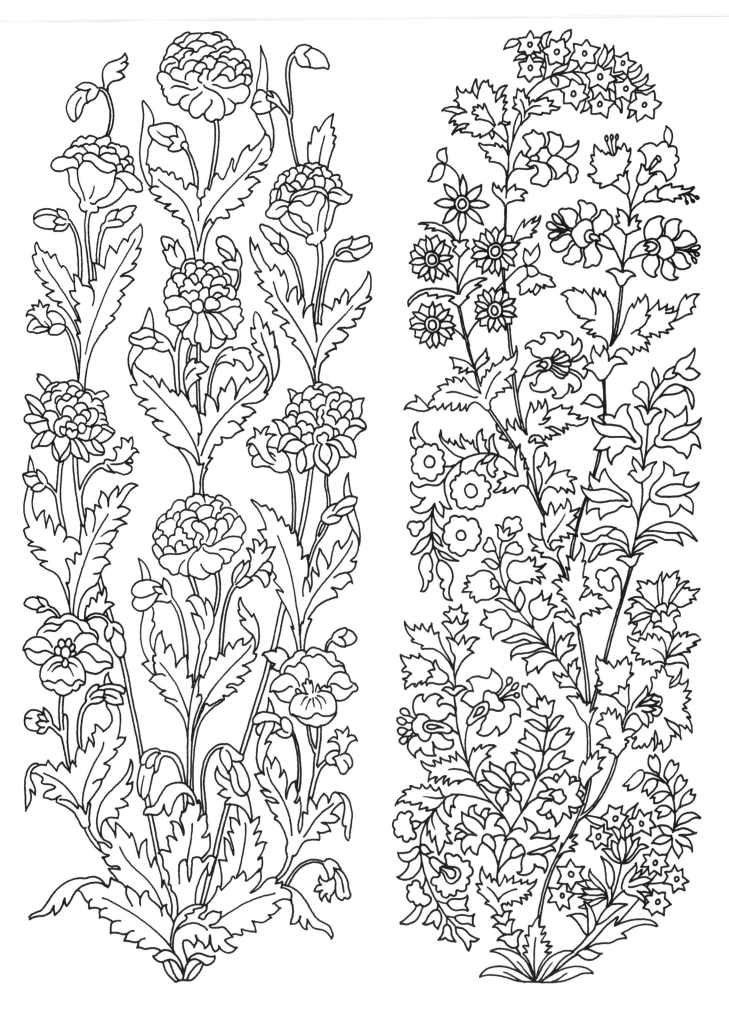

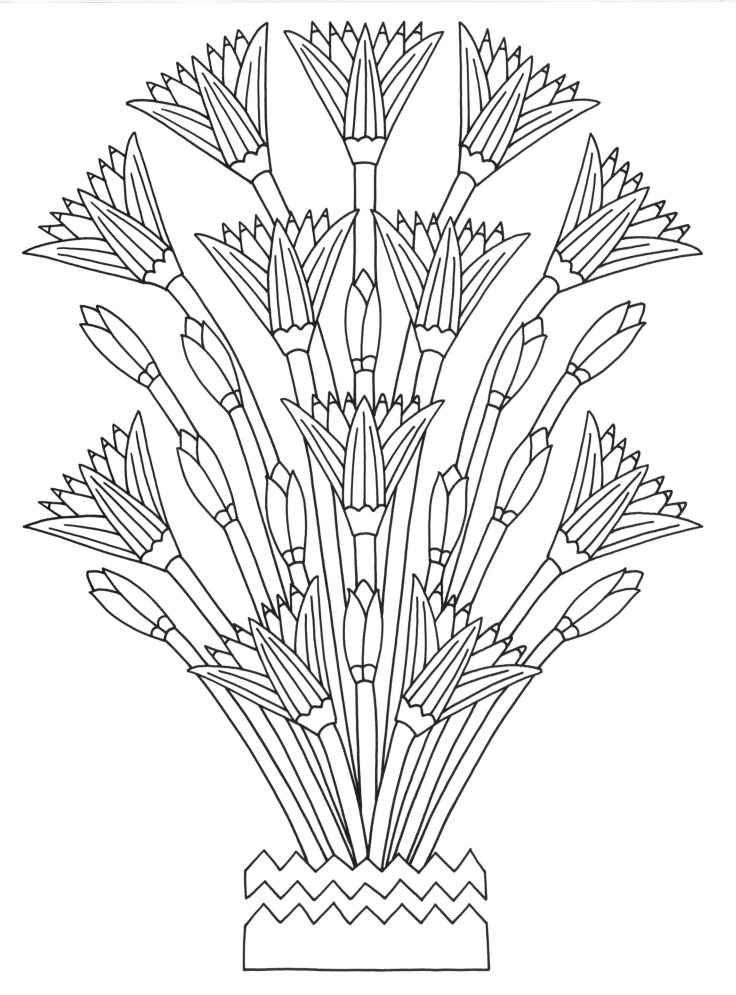

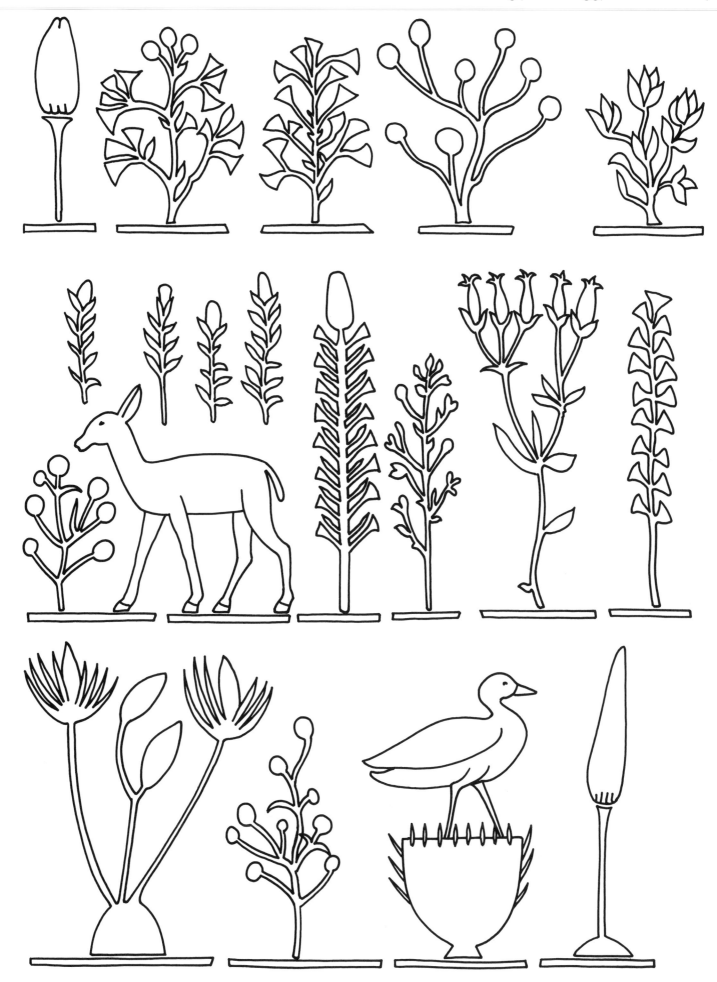

121

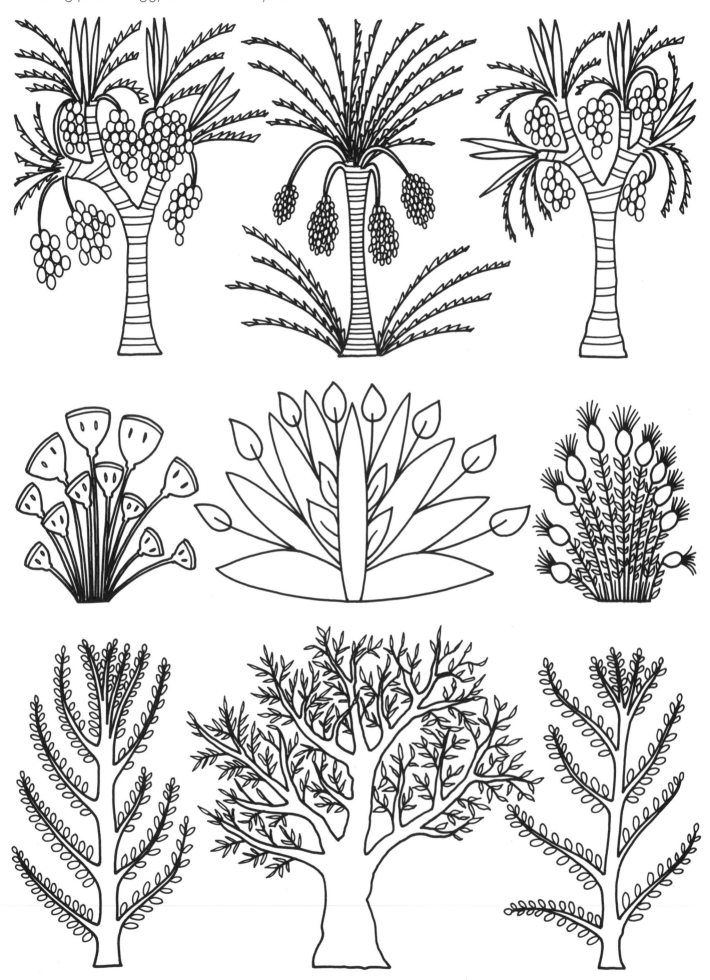

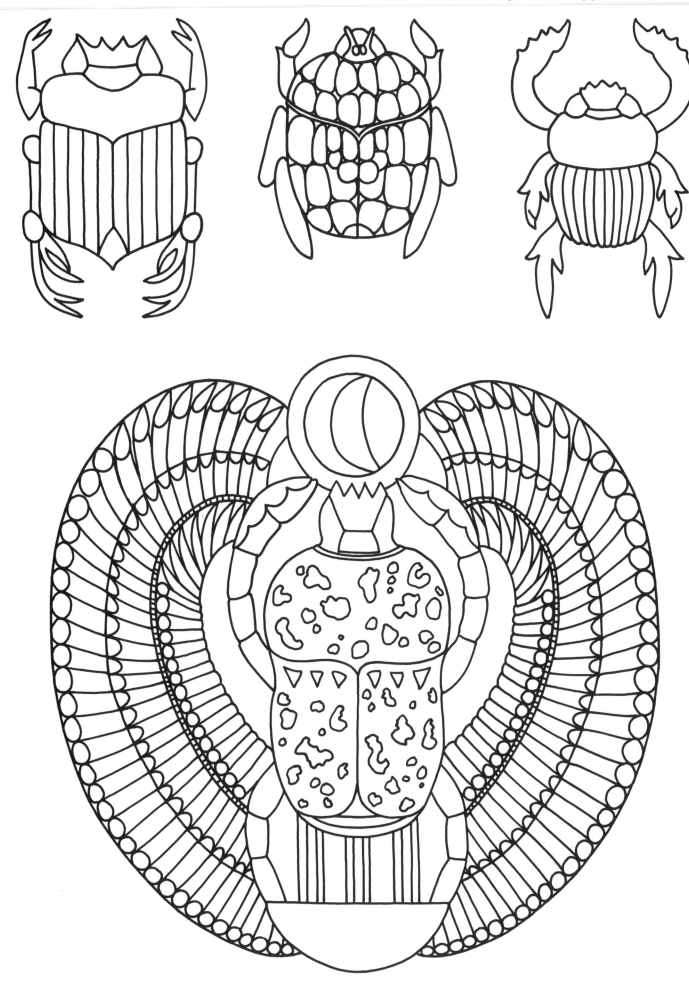

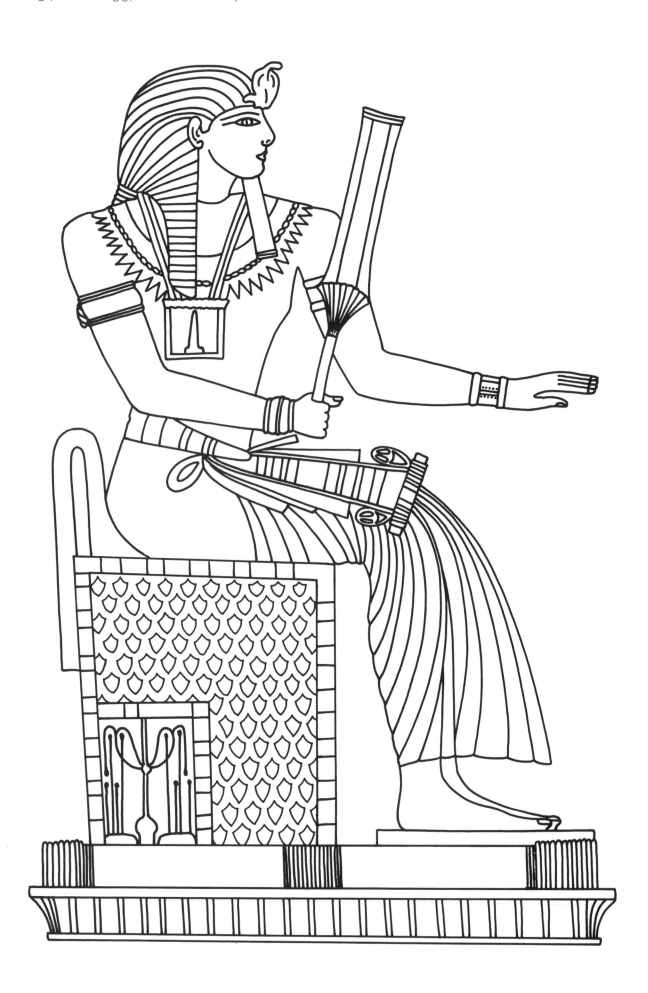

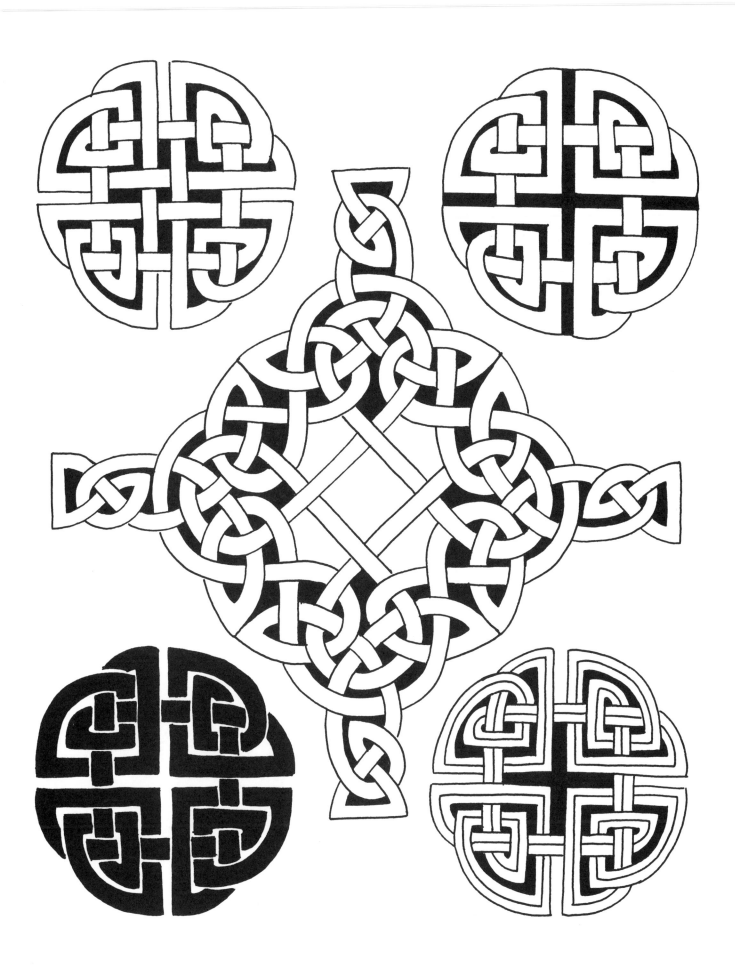

145

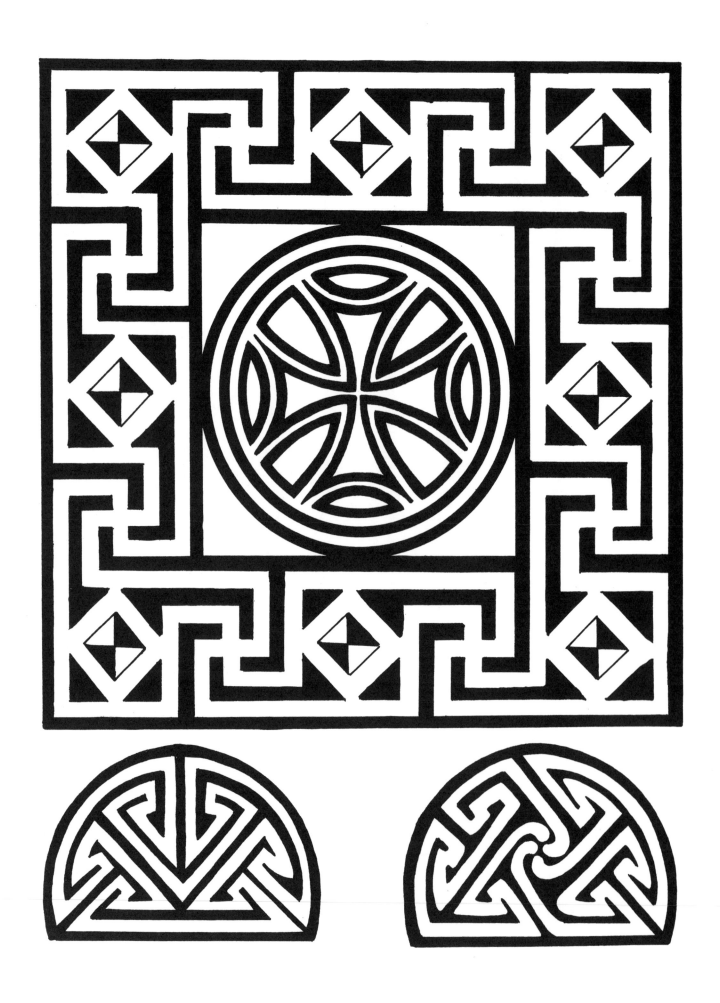

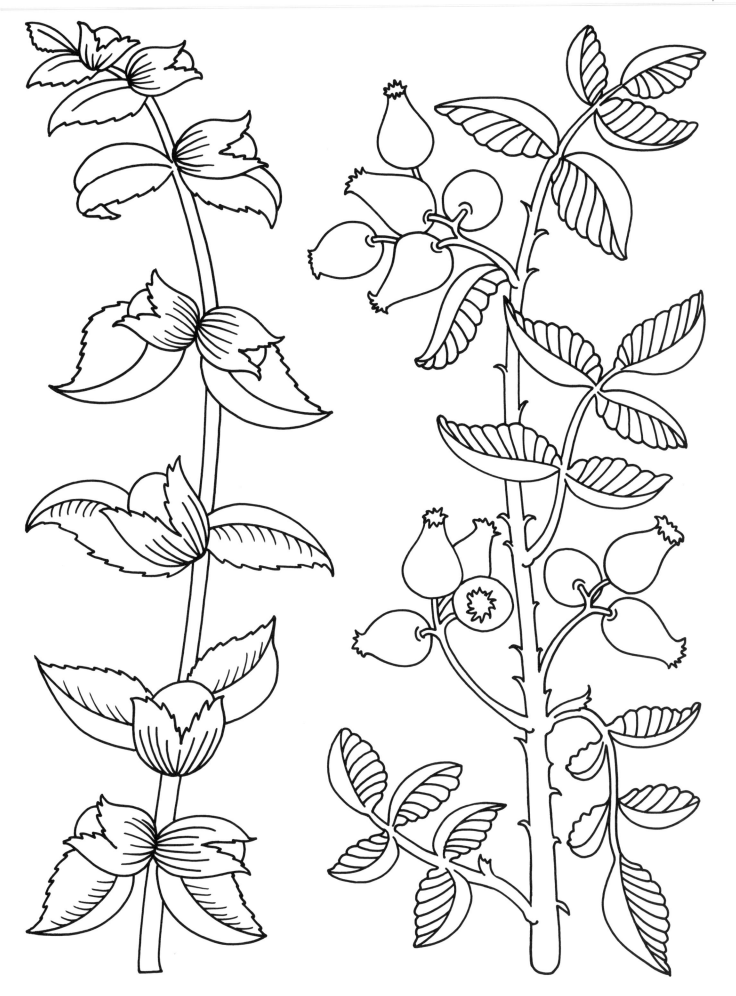

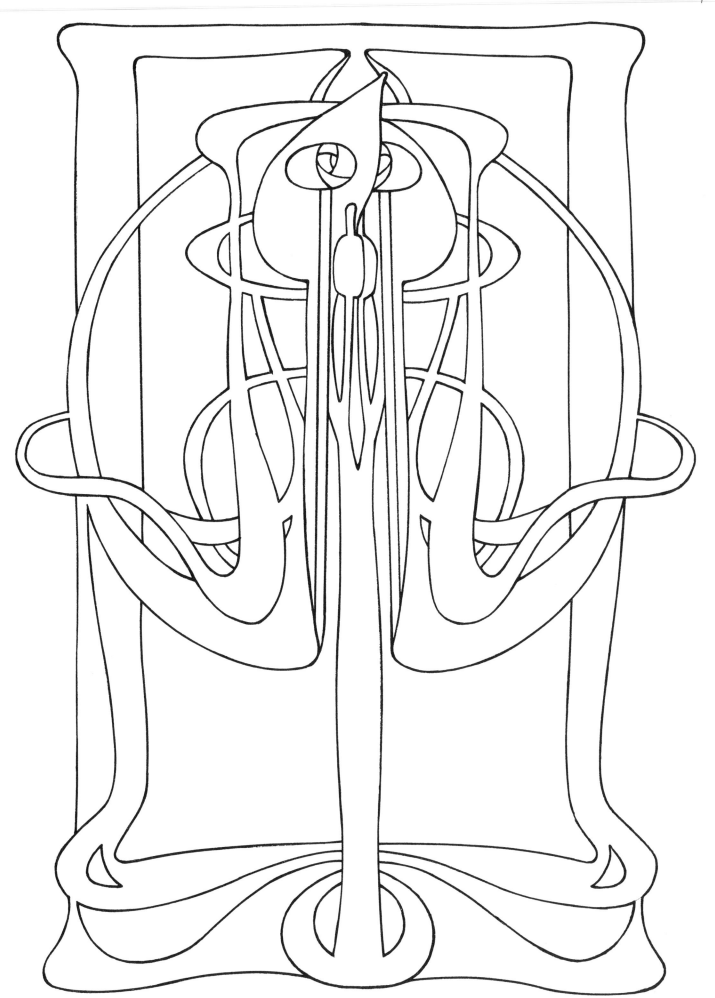

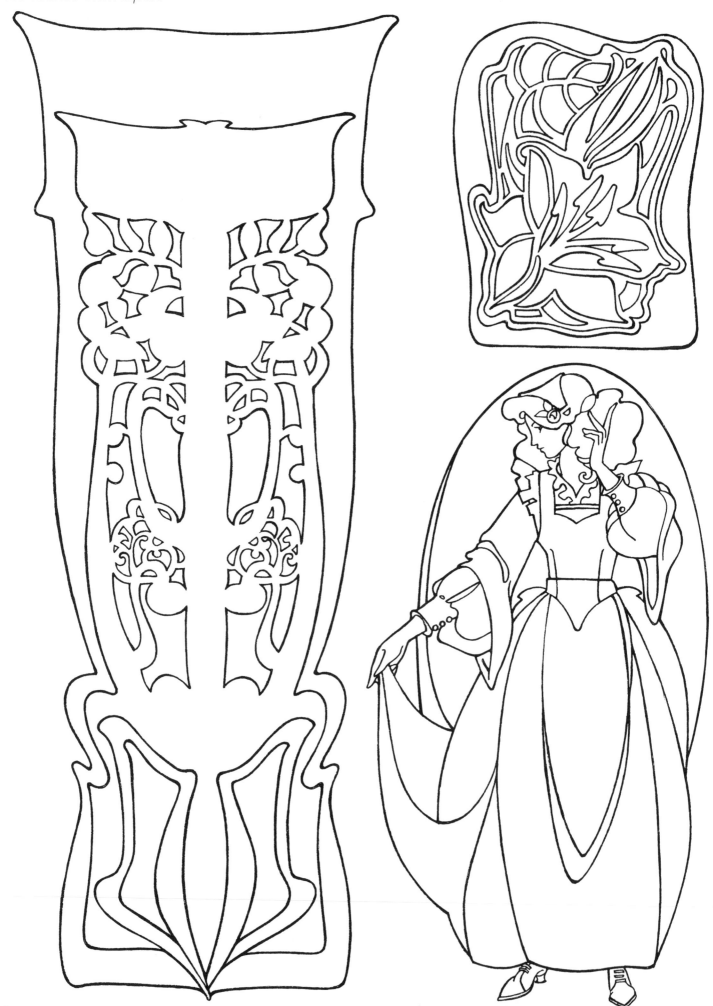

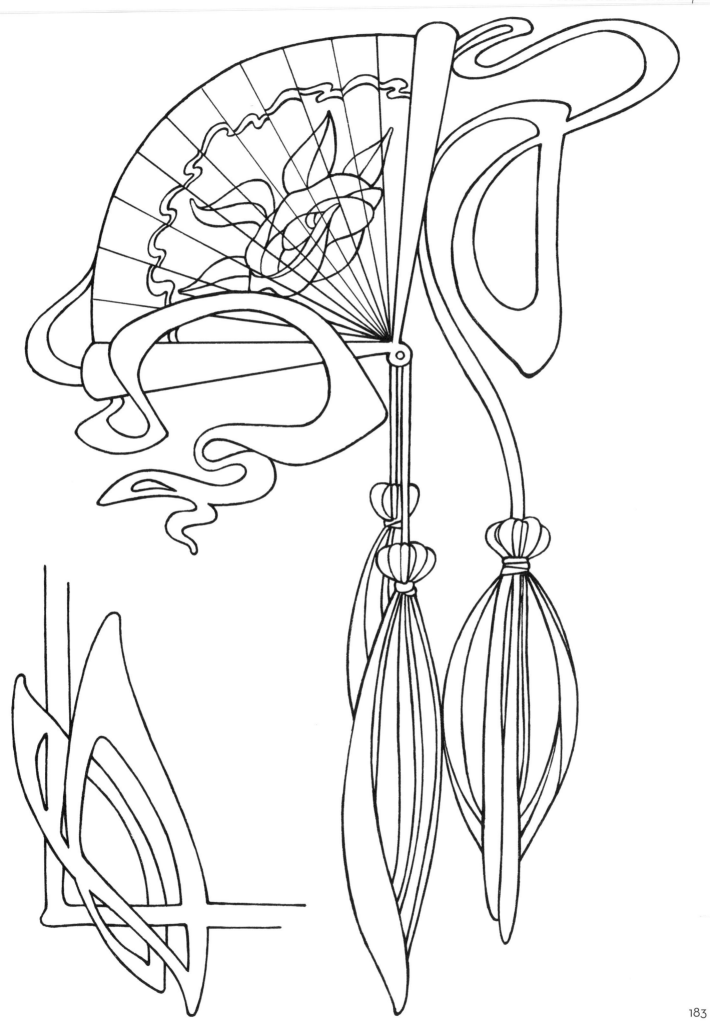

187

188

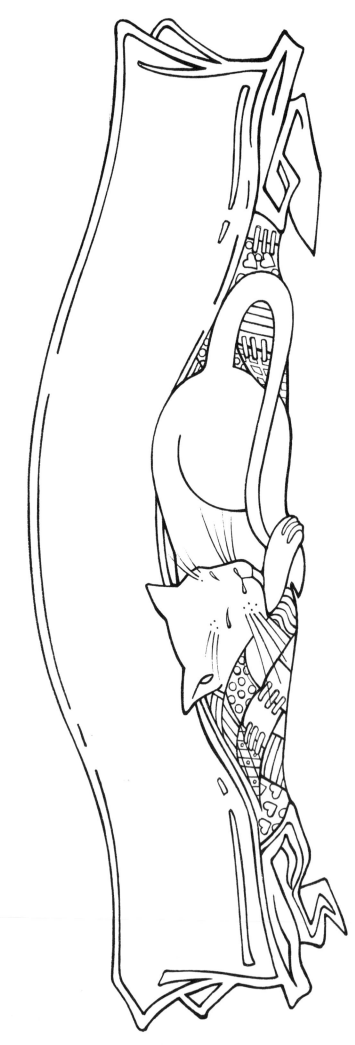

Jugendstilmotive • Les dessins Art Nouveau • Diseños art nouveau • Desenhos Arte Nova •
Jugendstil ontwerpen

Jugendstilmotive • Les dessins Art Nouveau • Diseños art nouveau • Desenhos Arte Nova • Jugendstil ontwerpen

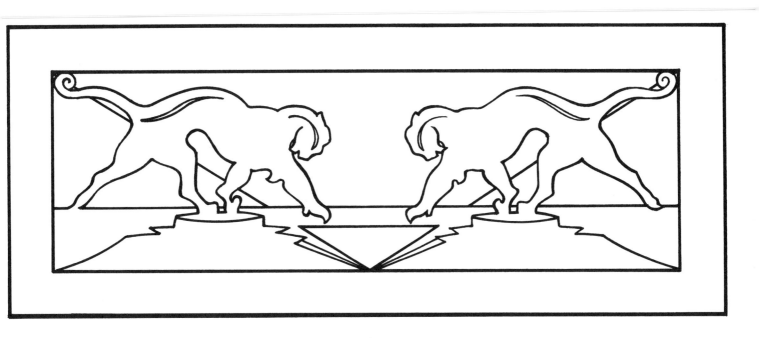

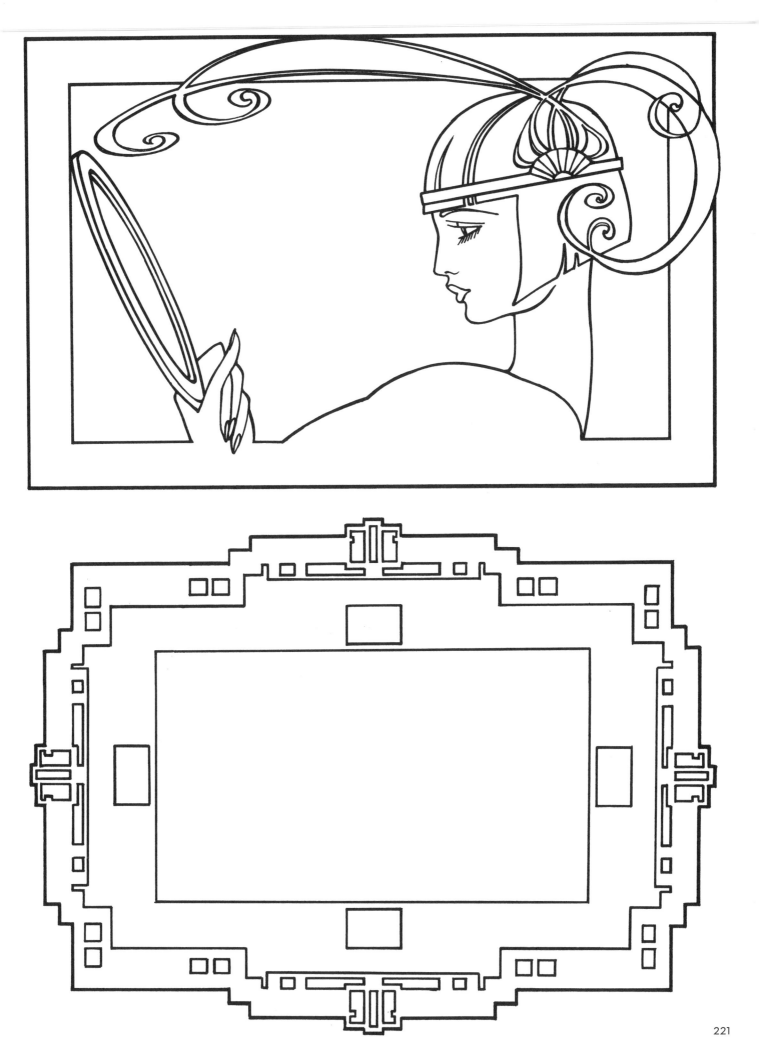

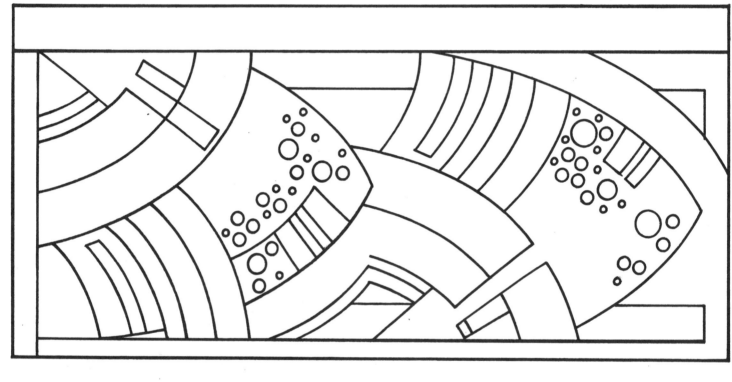

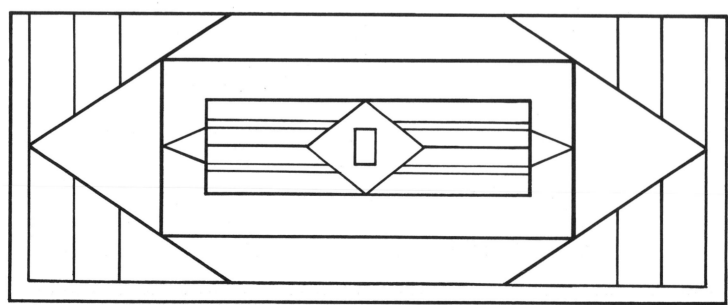

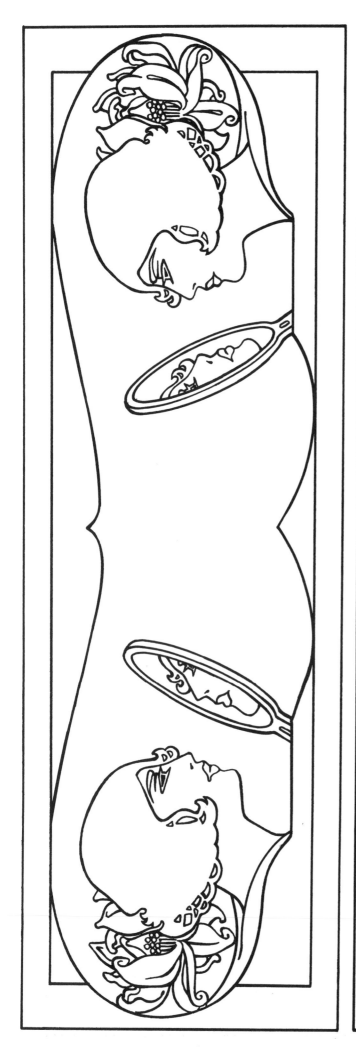

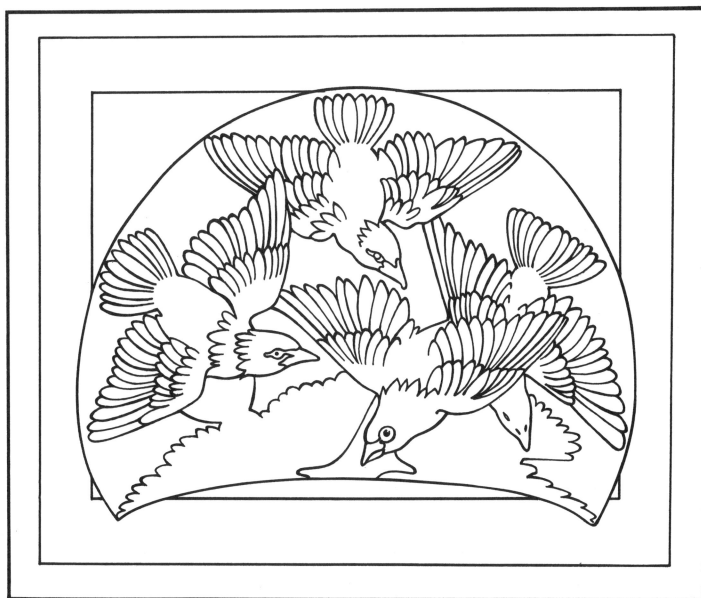

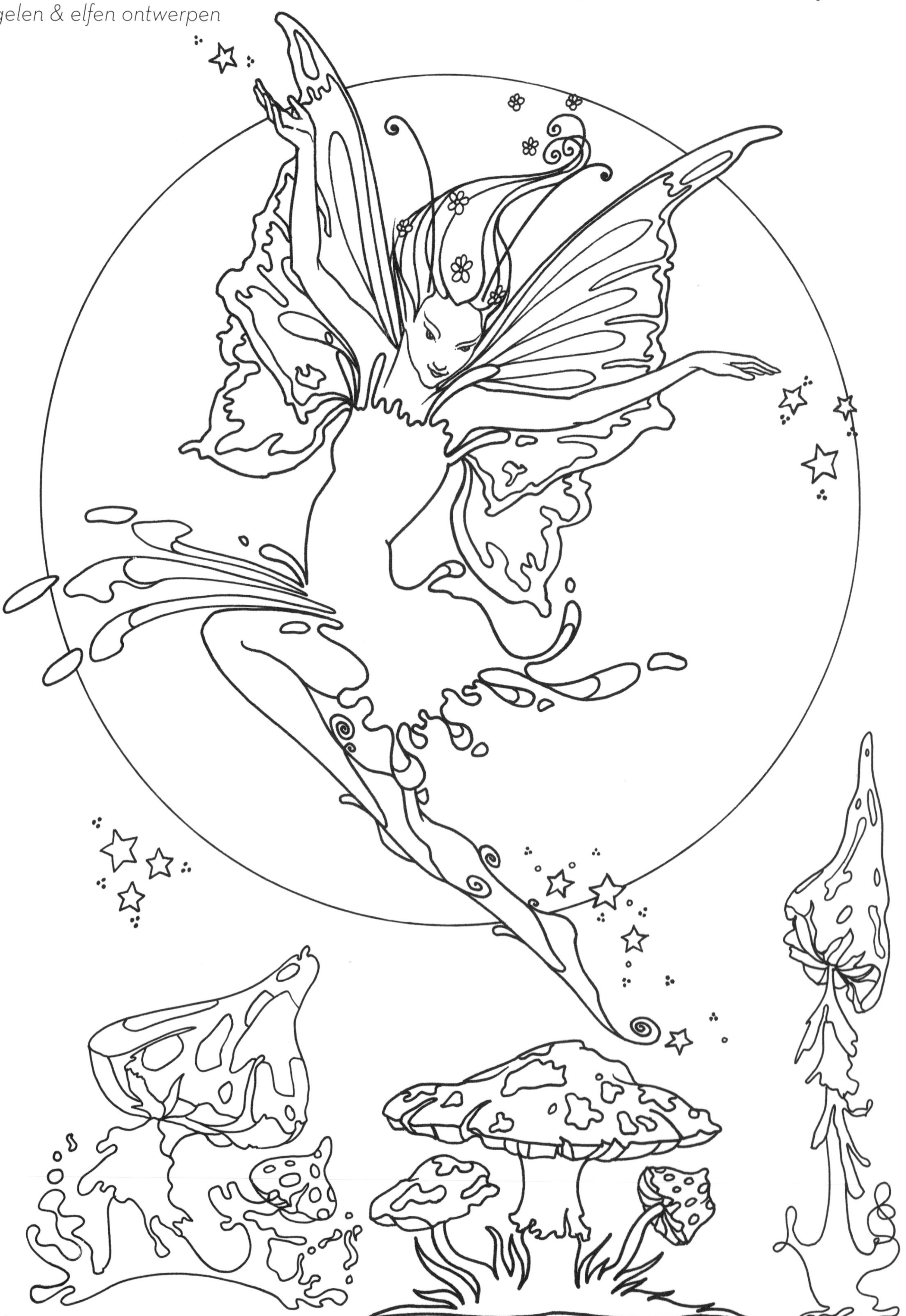

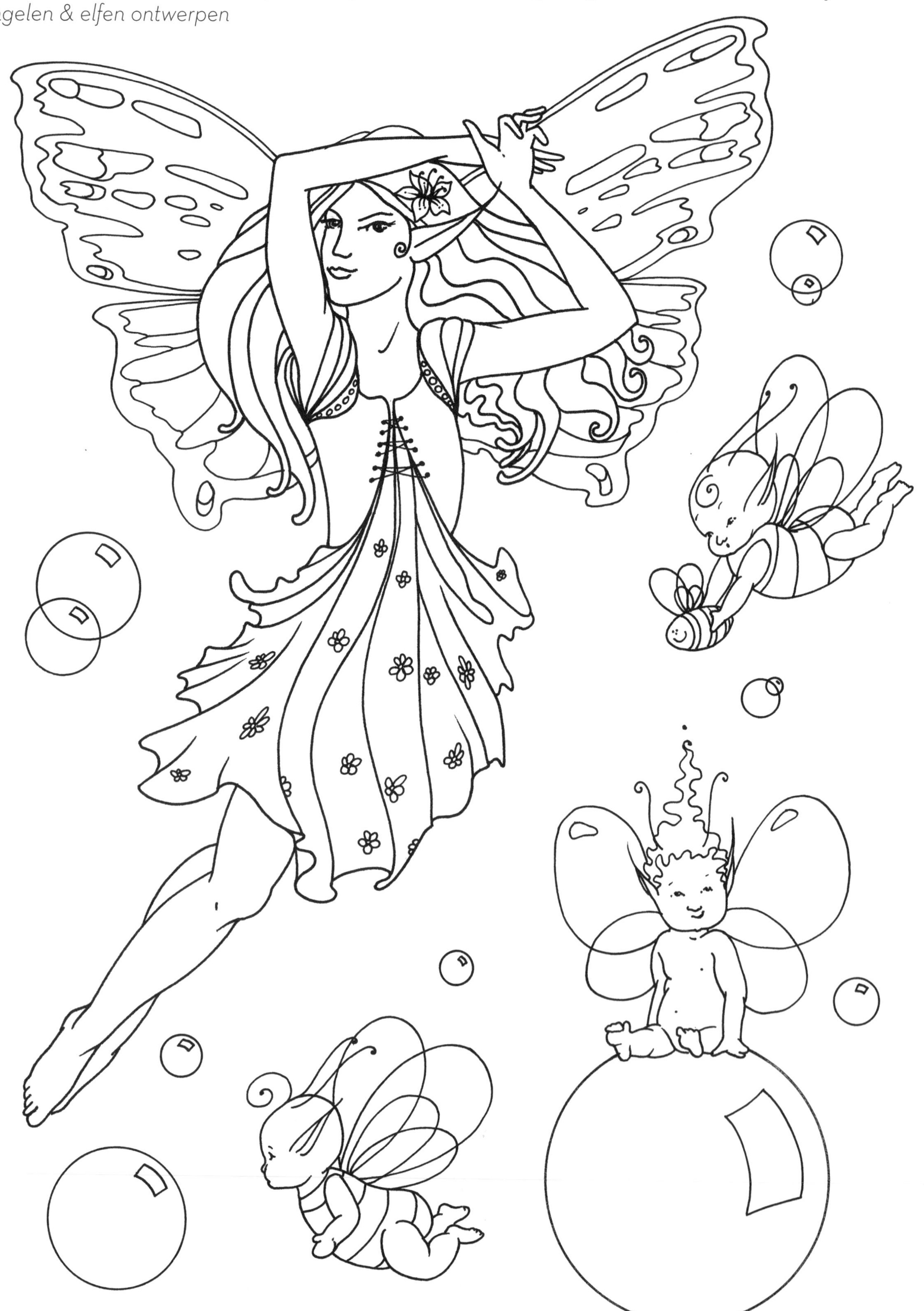

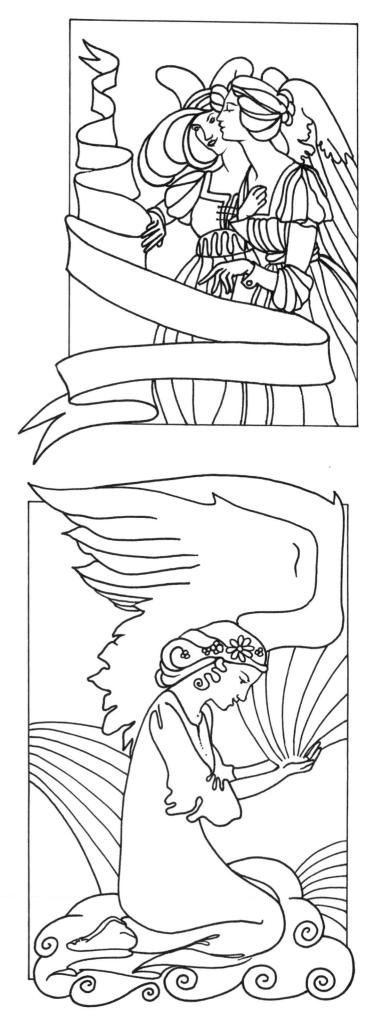

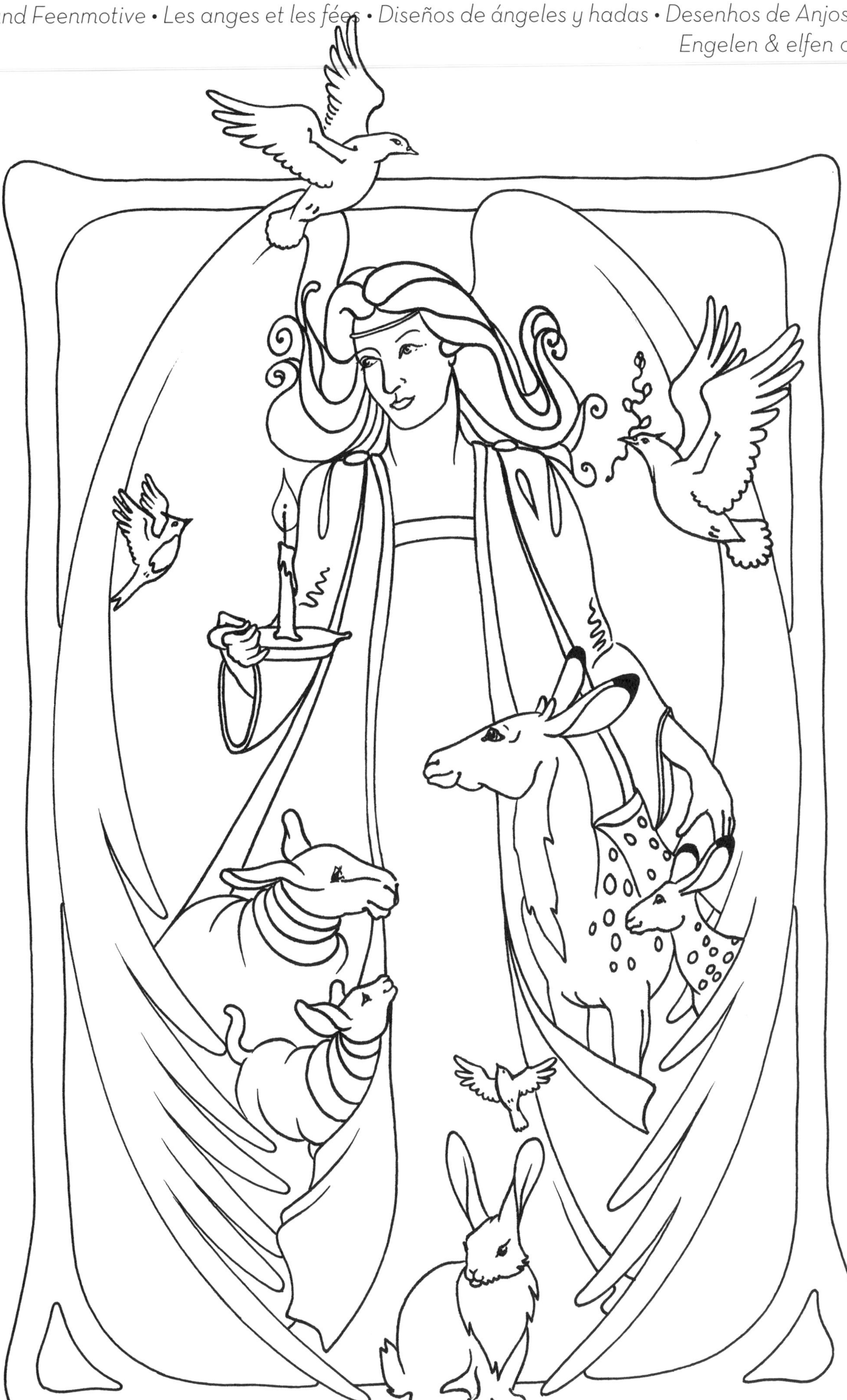

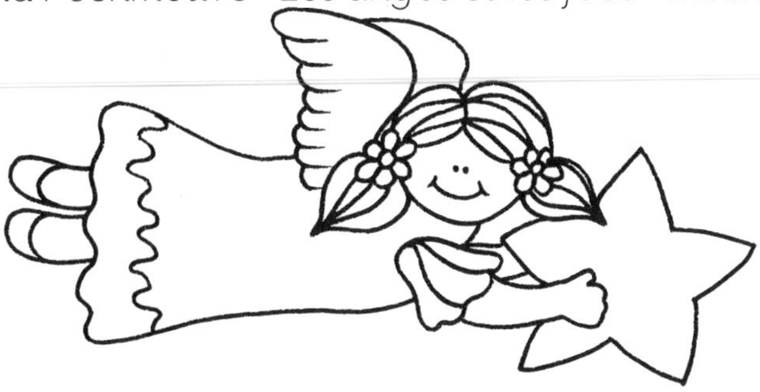

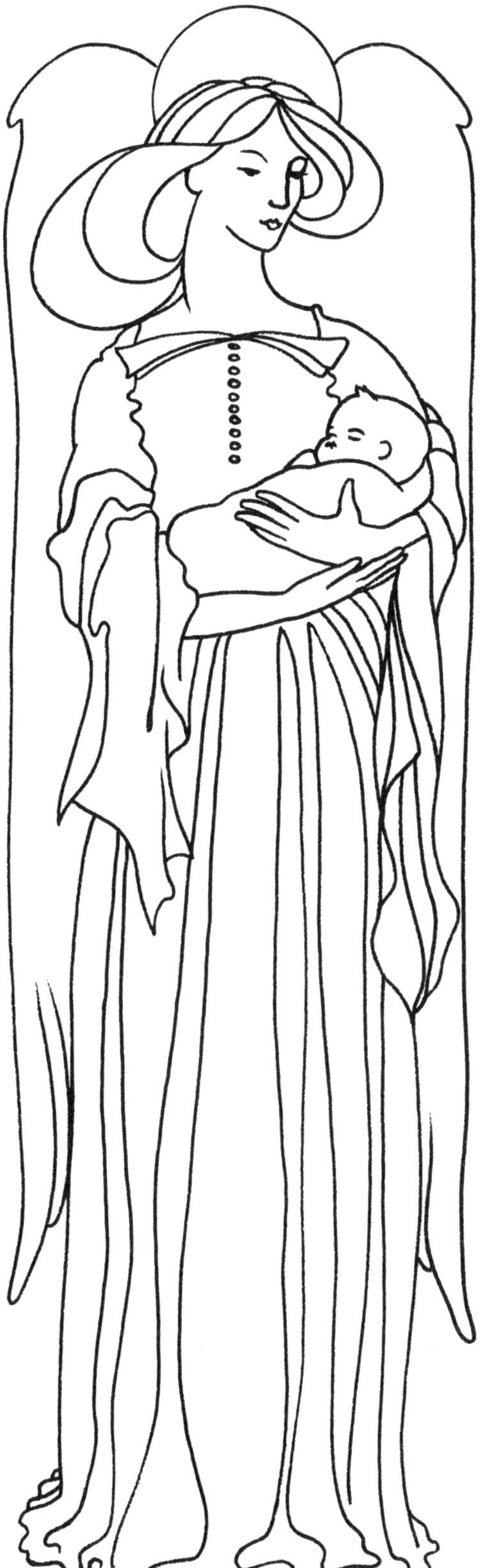

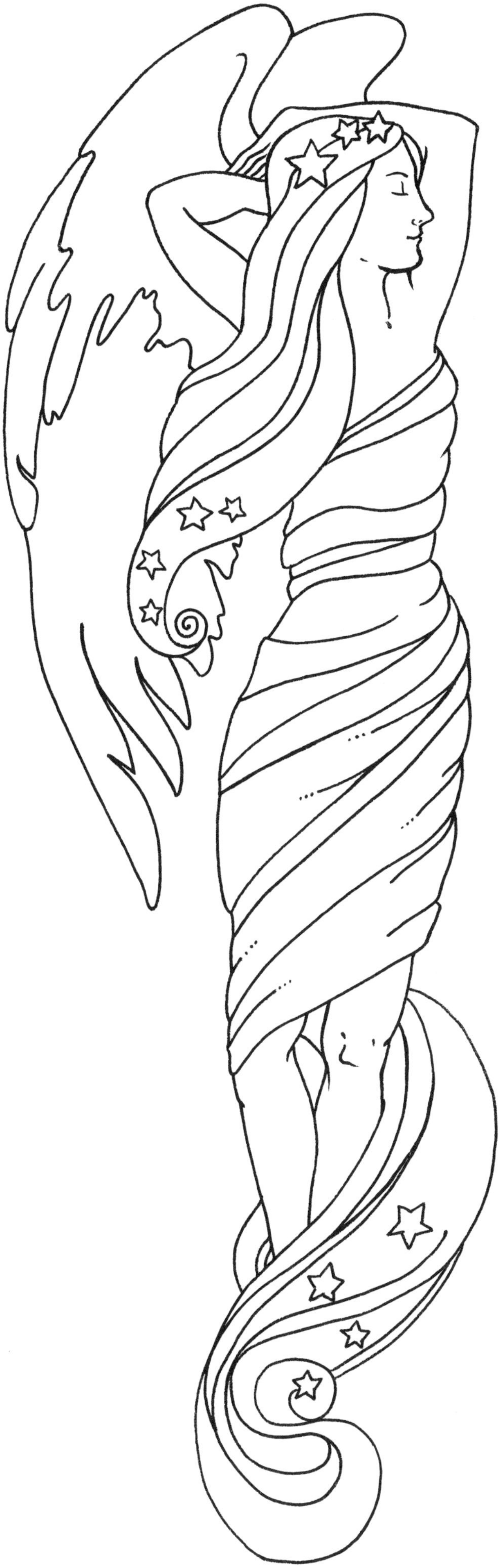

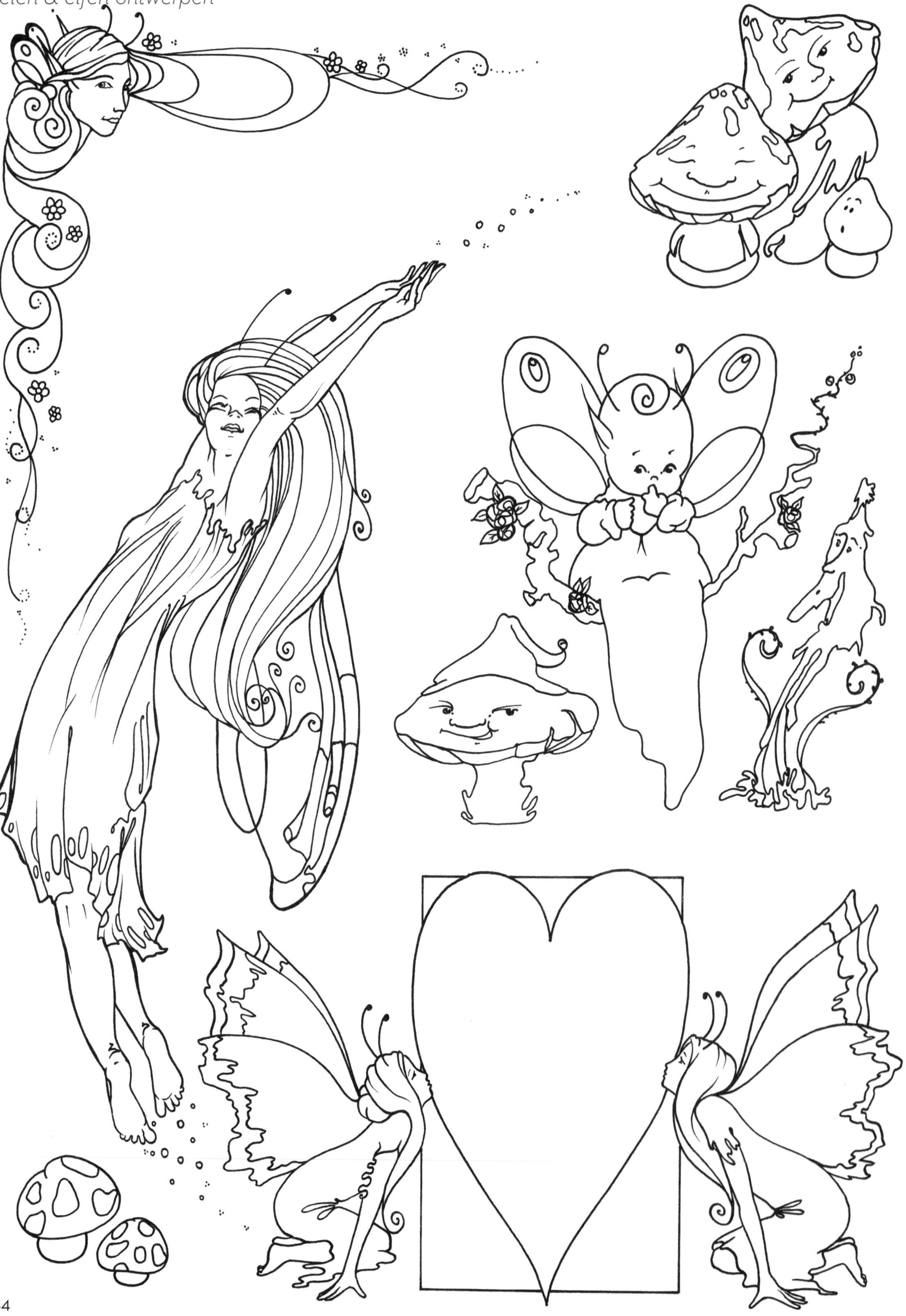

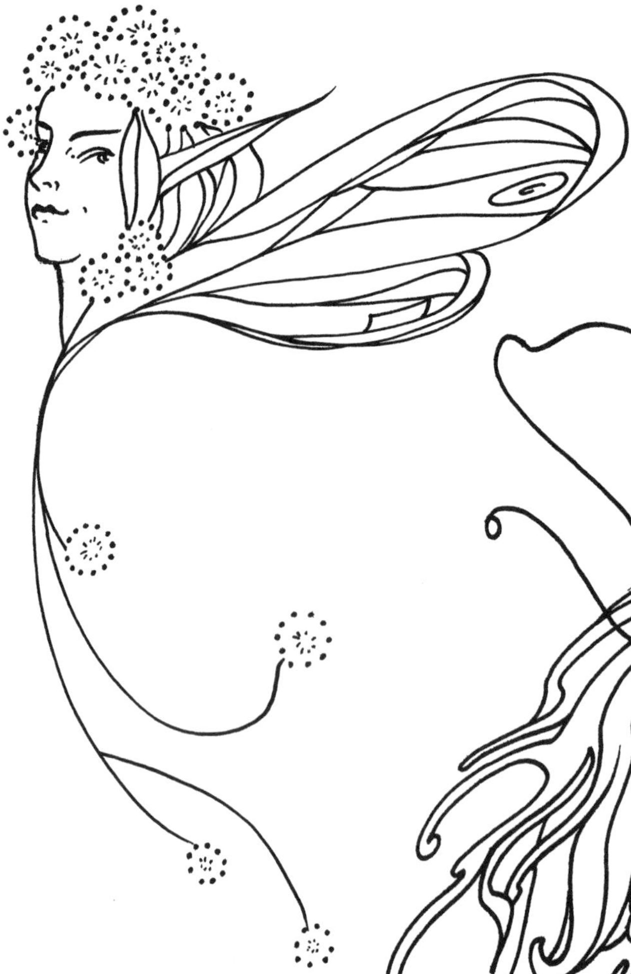

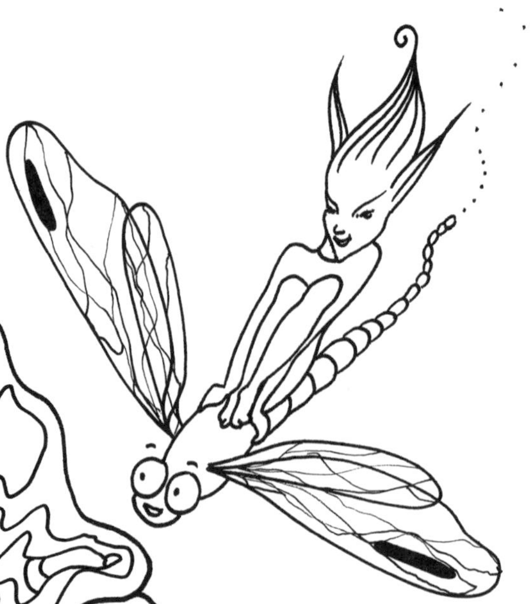

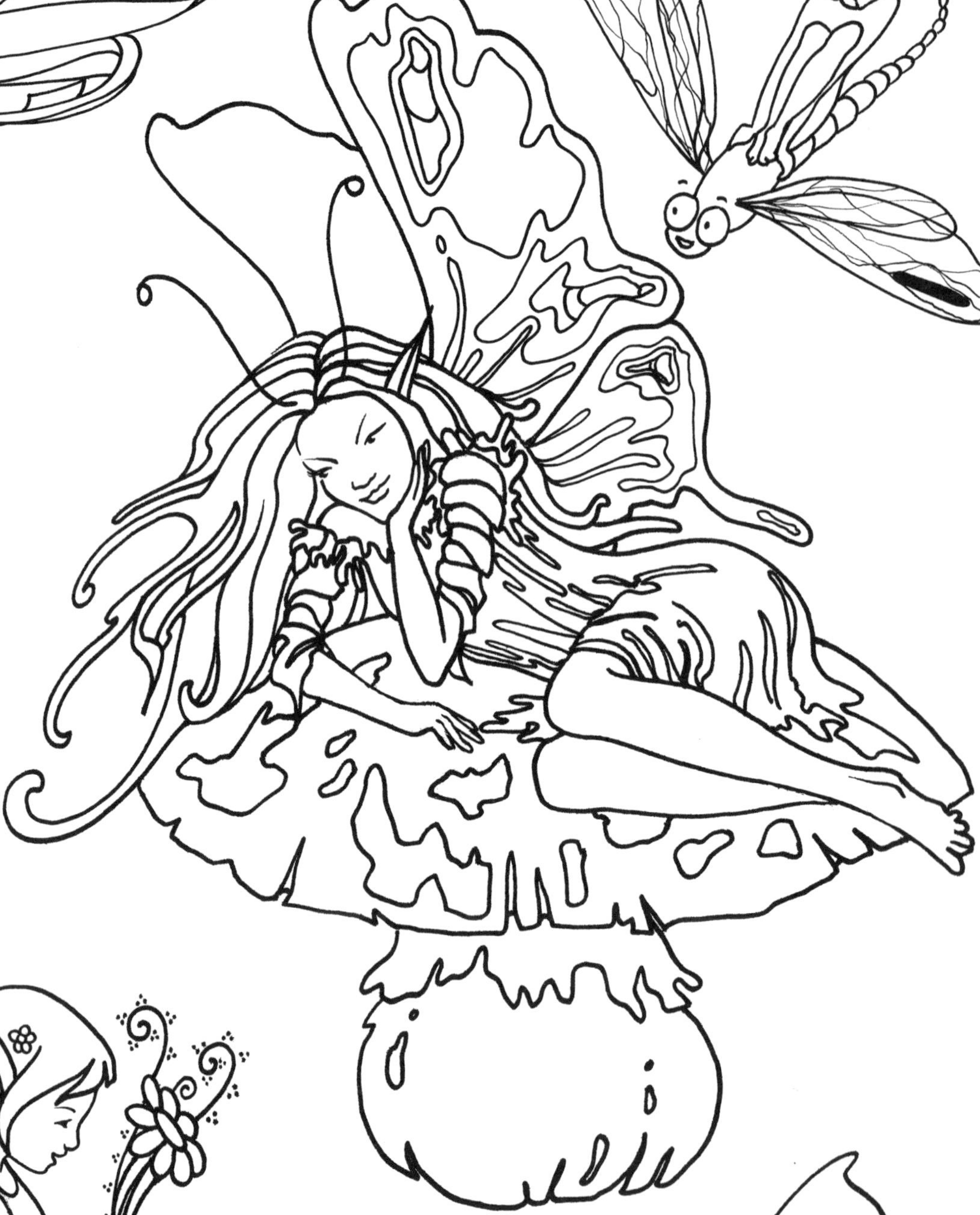

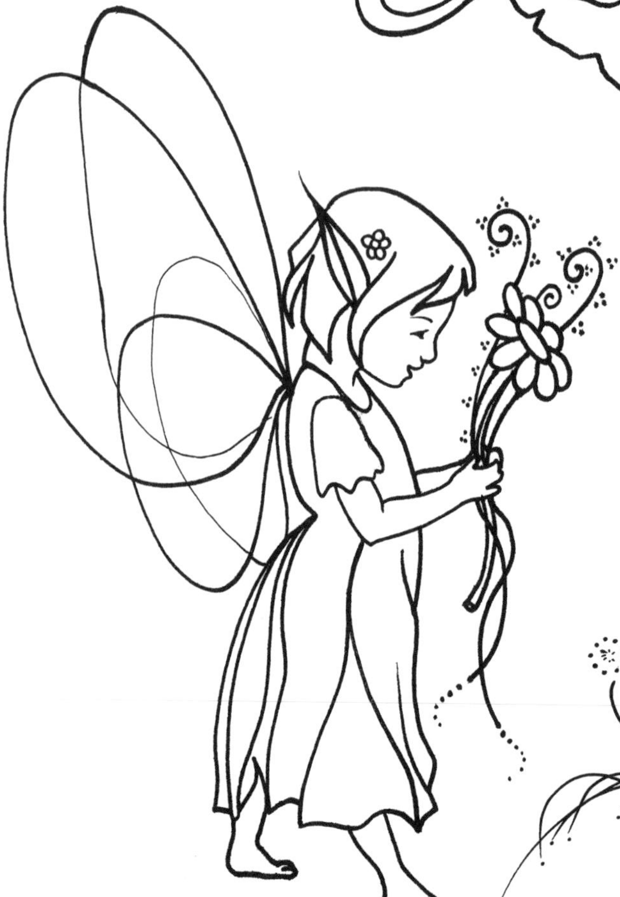

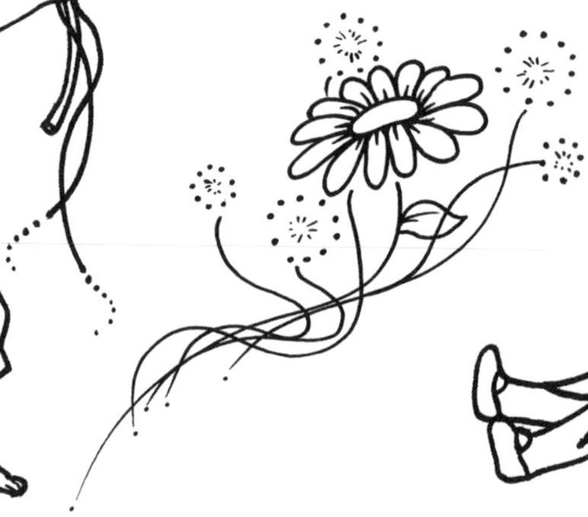

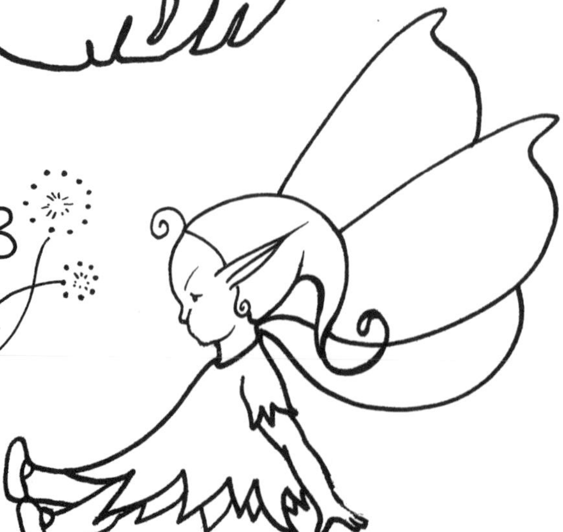

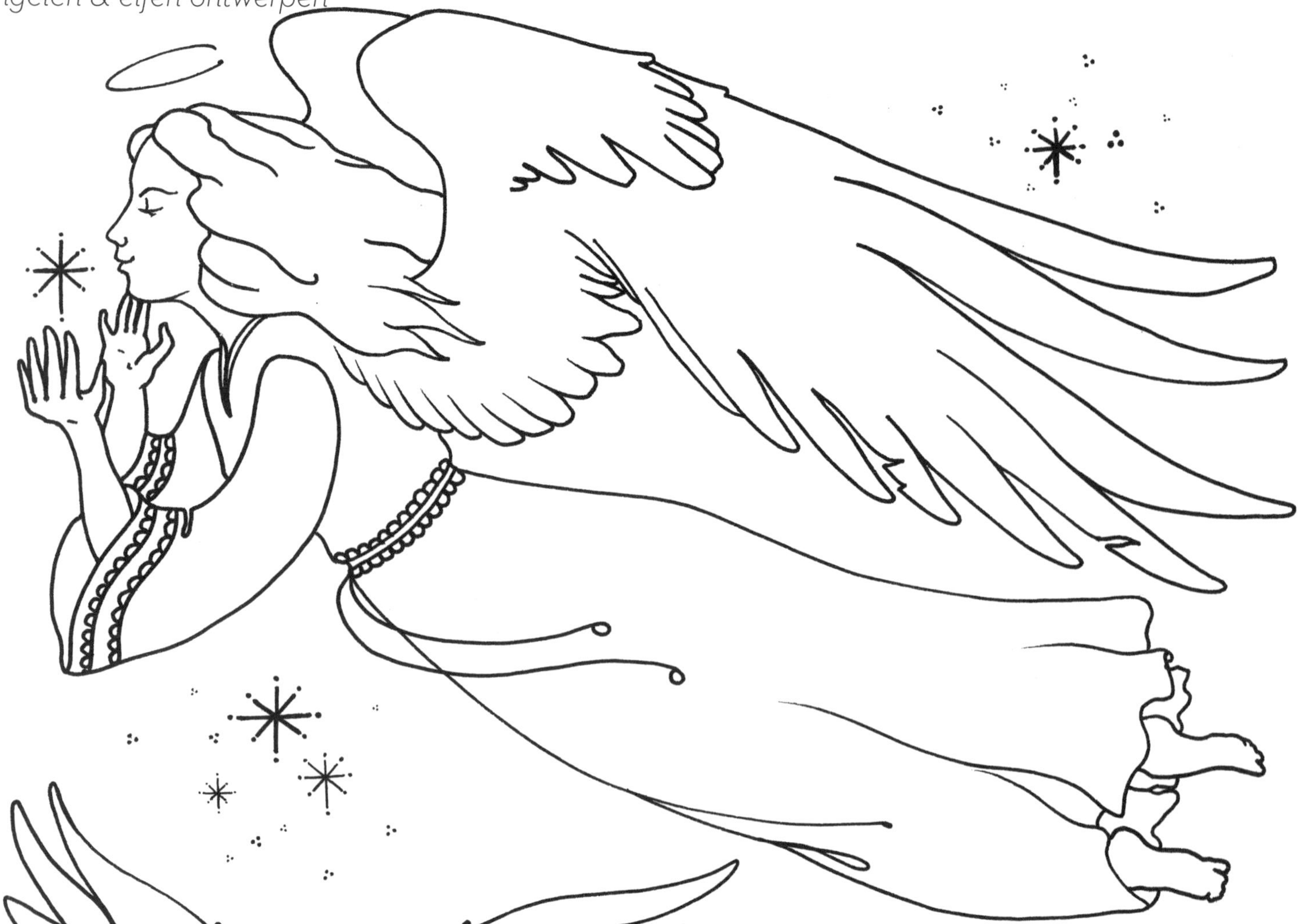

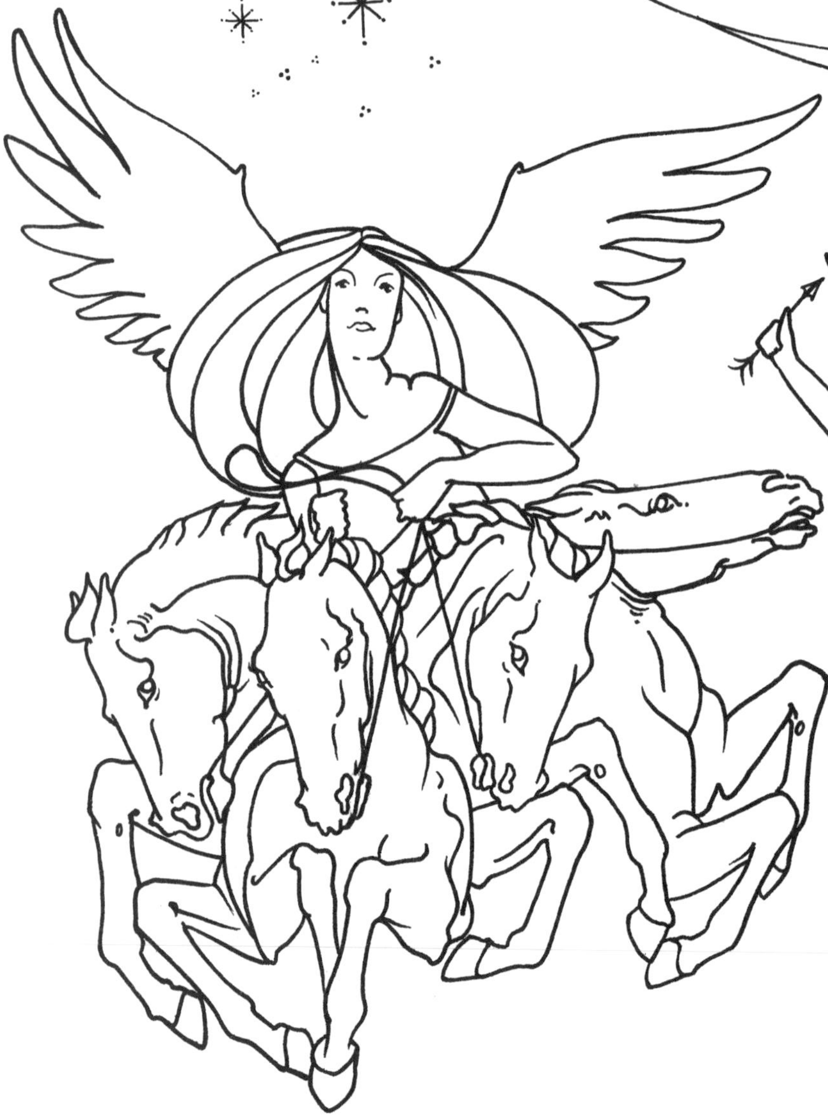

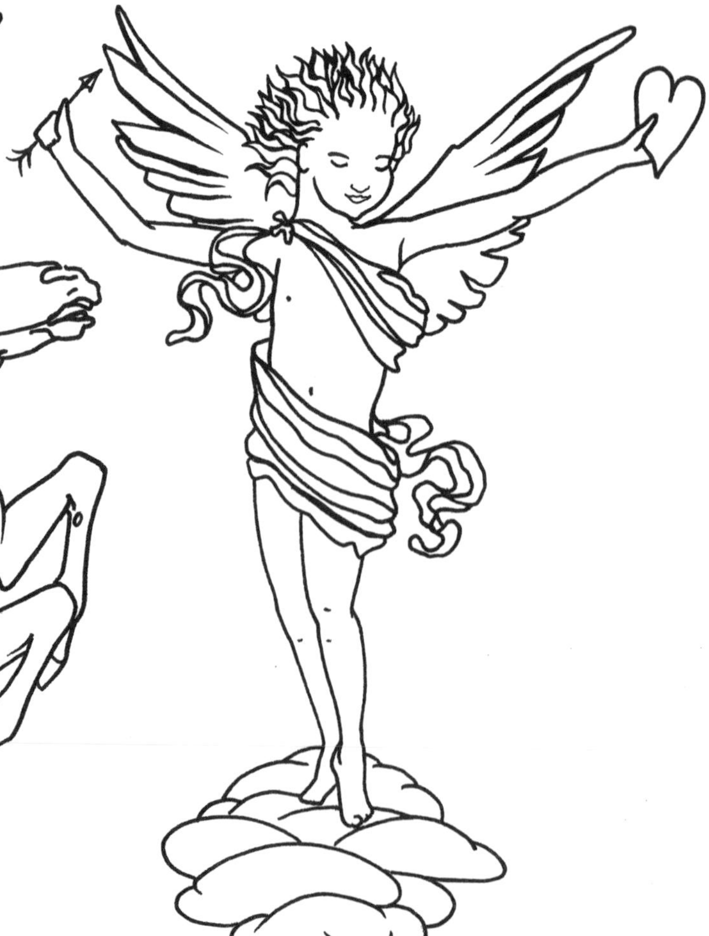

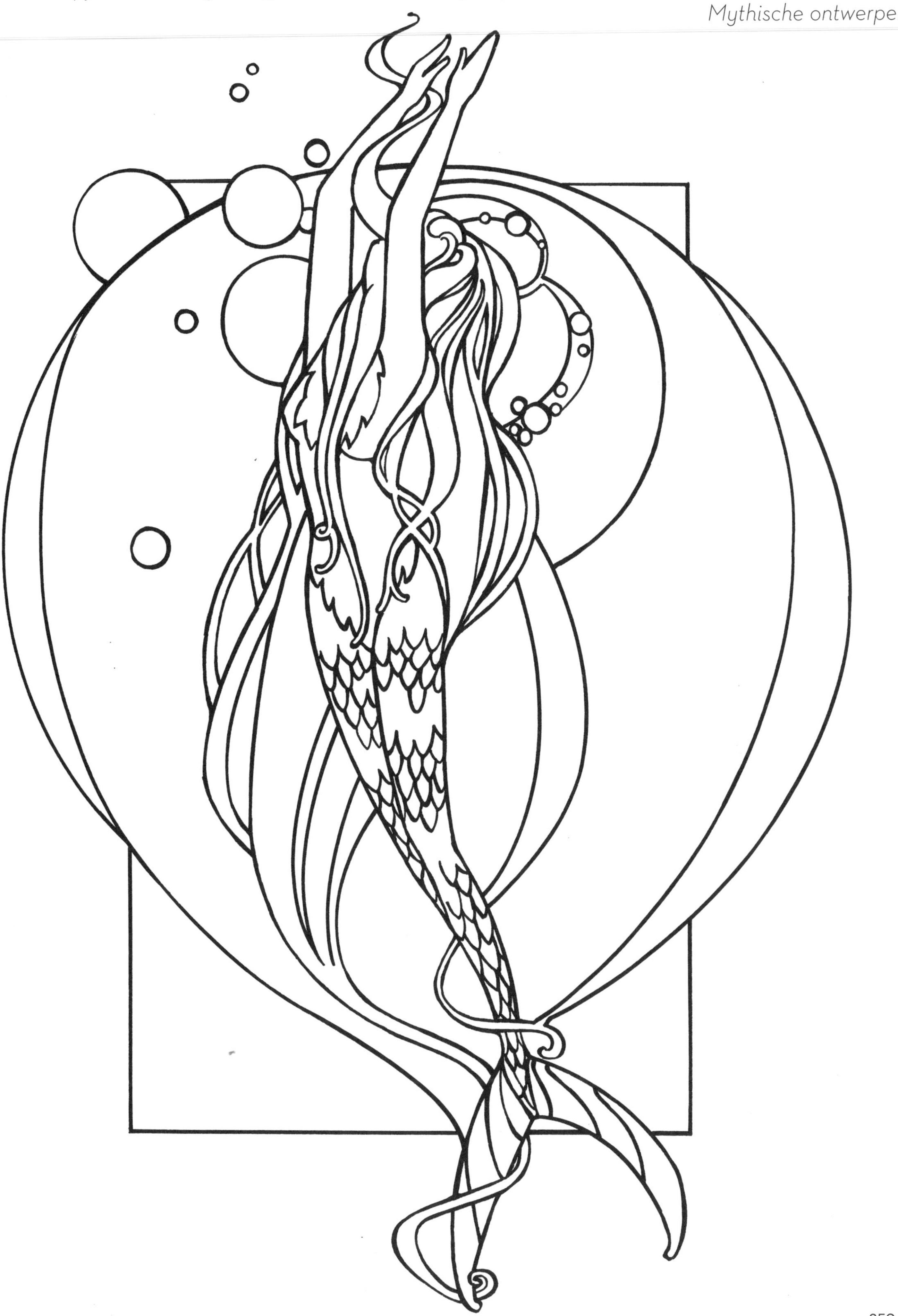

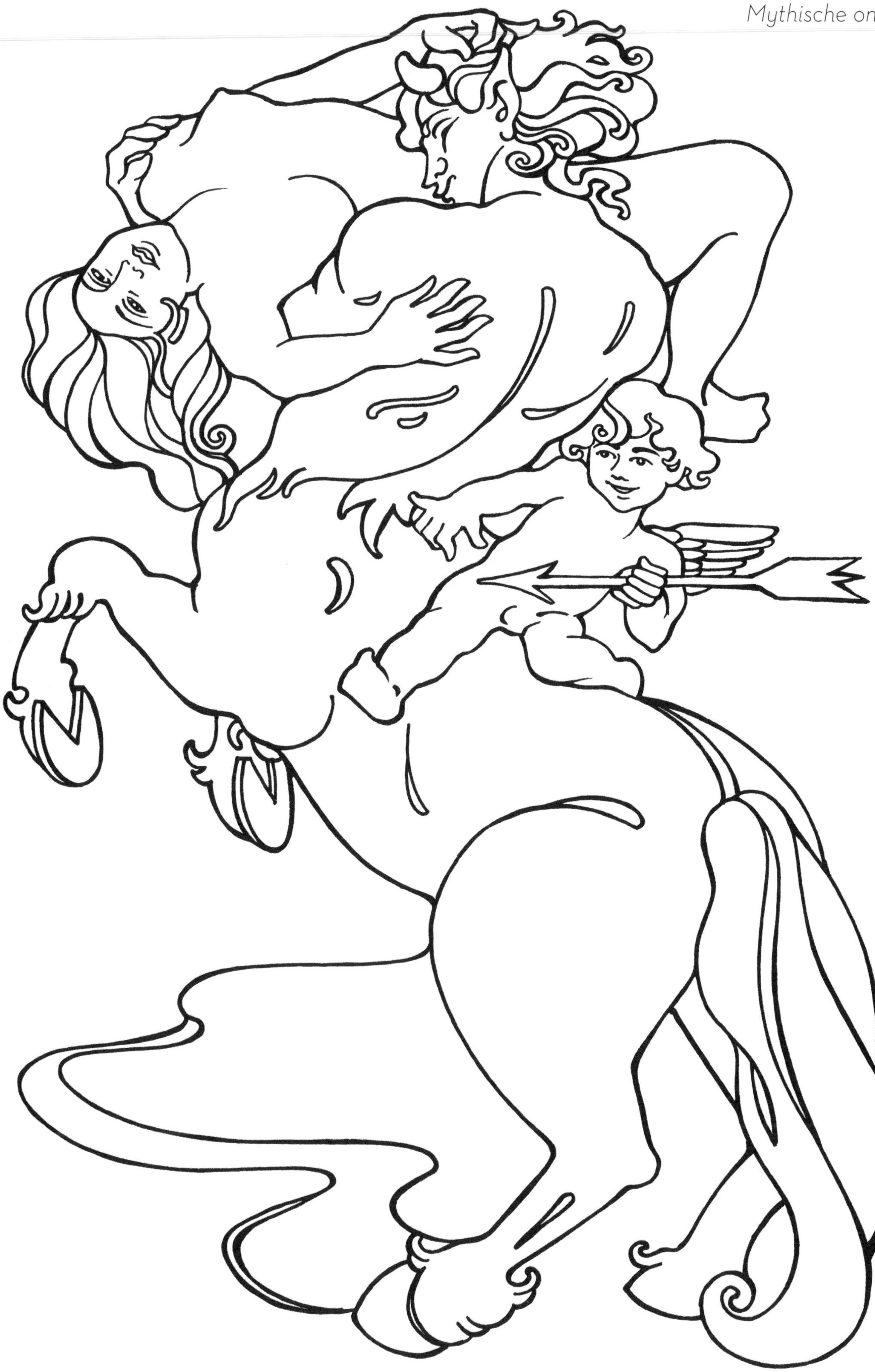

266

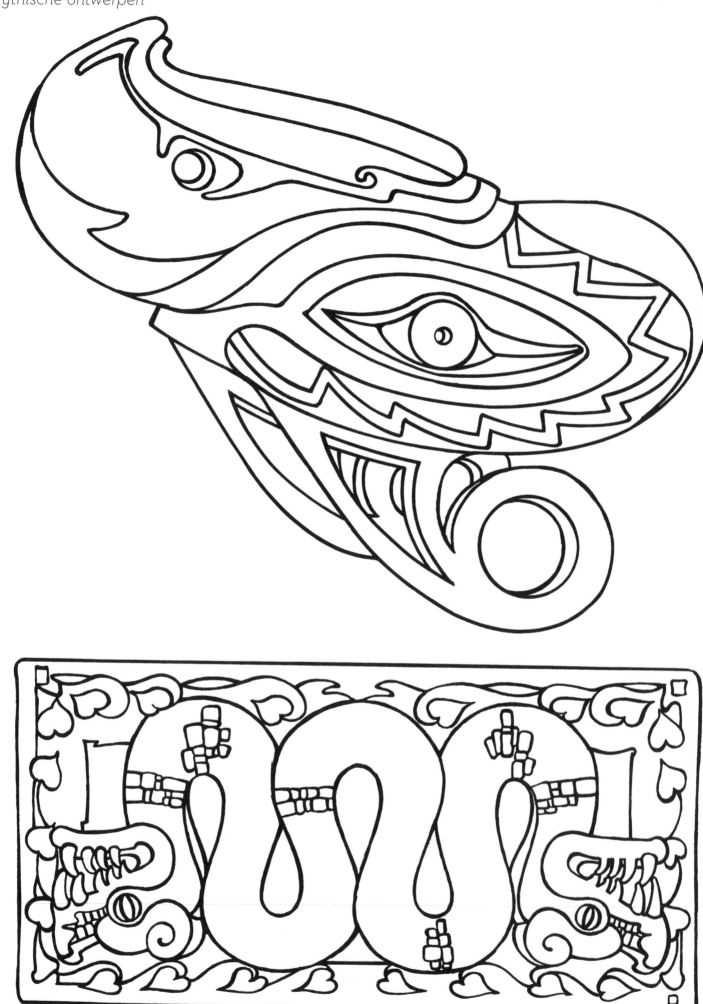

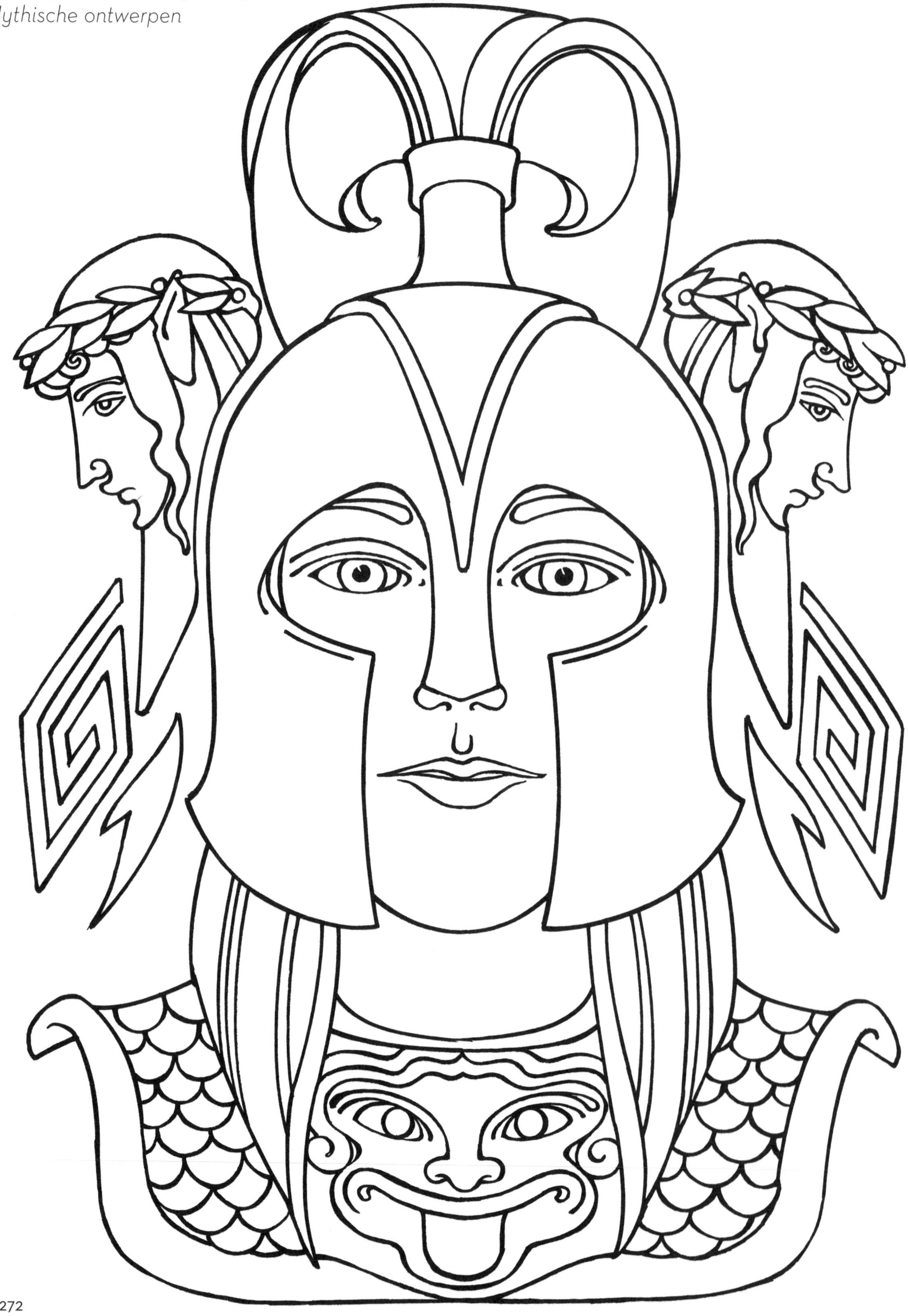

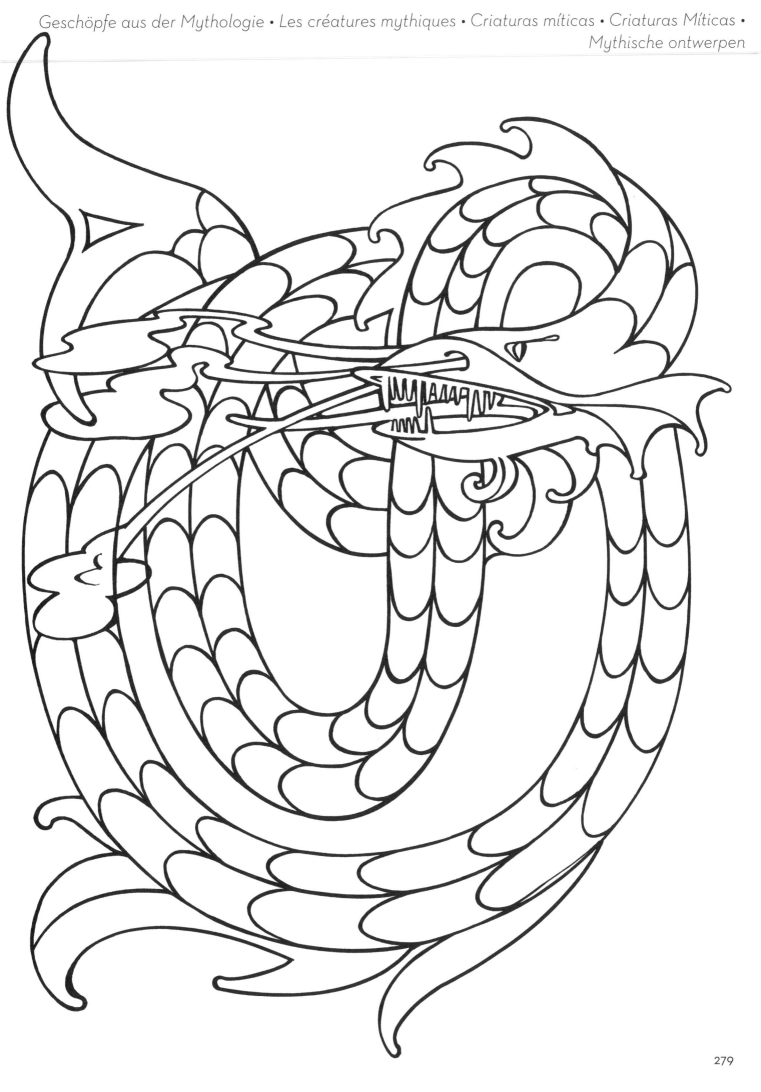

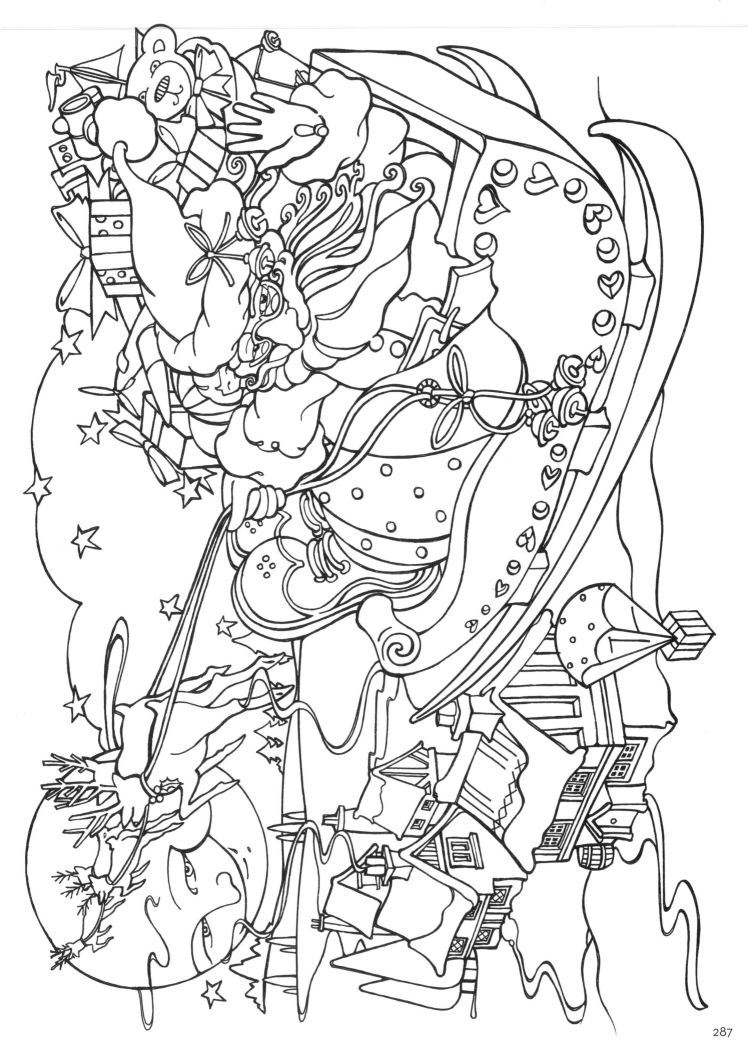

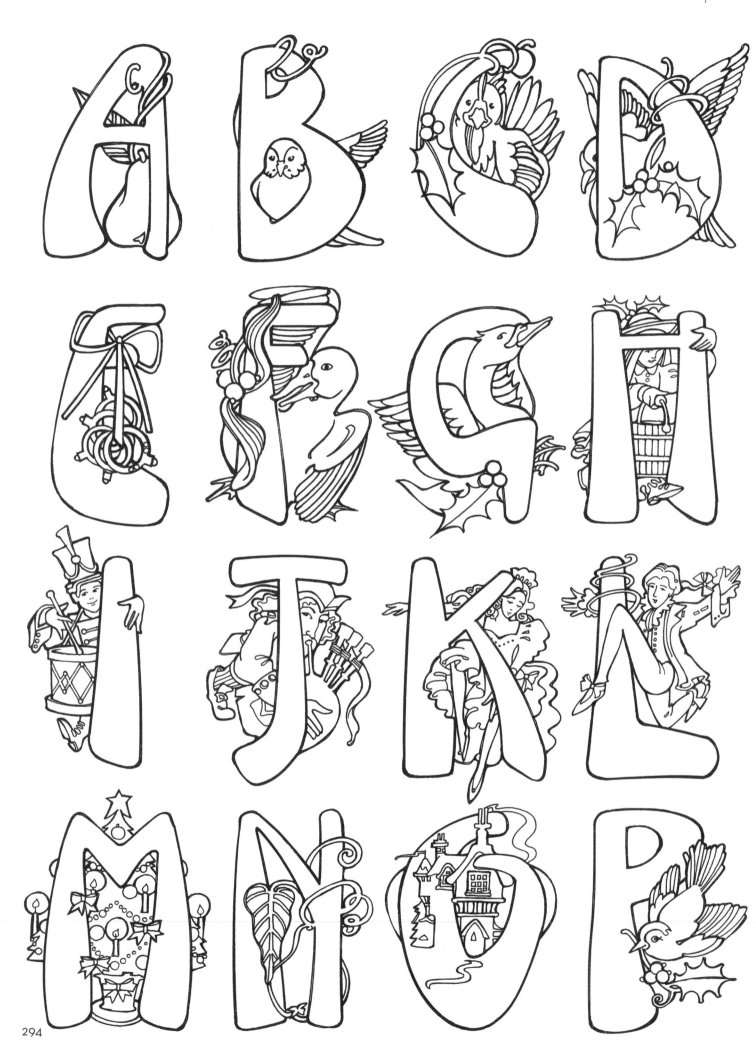

294

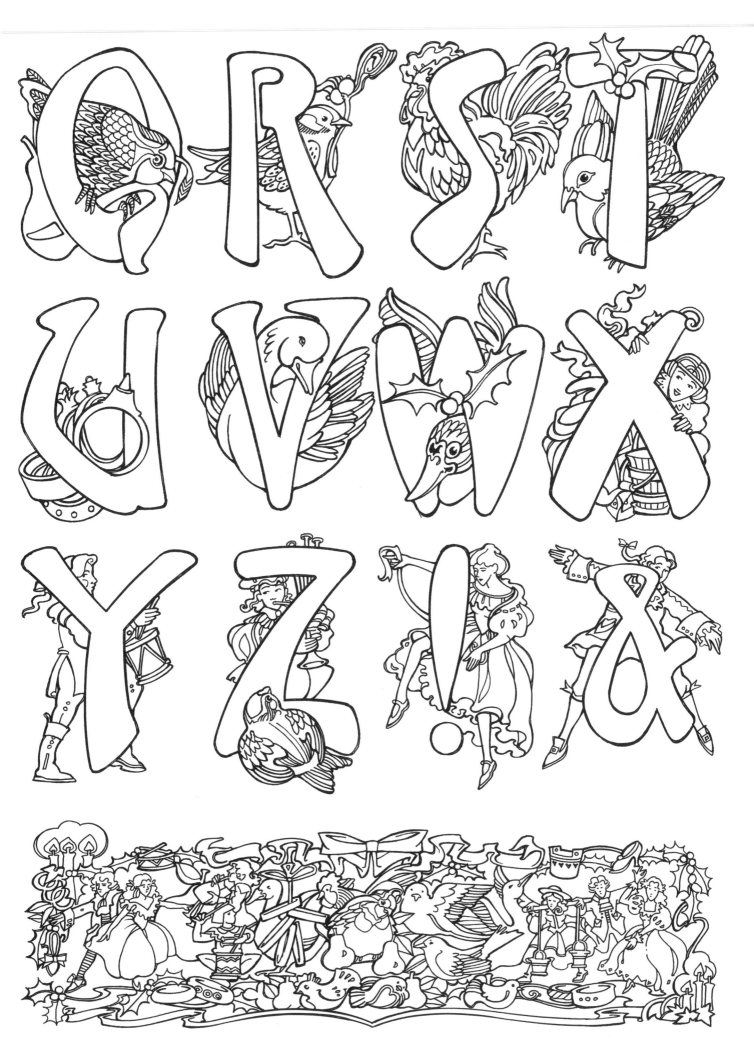

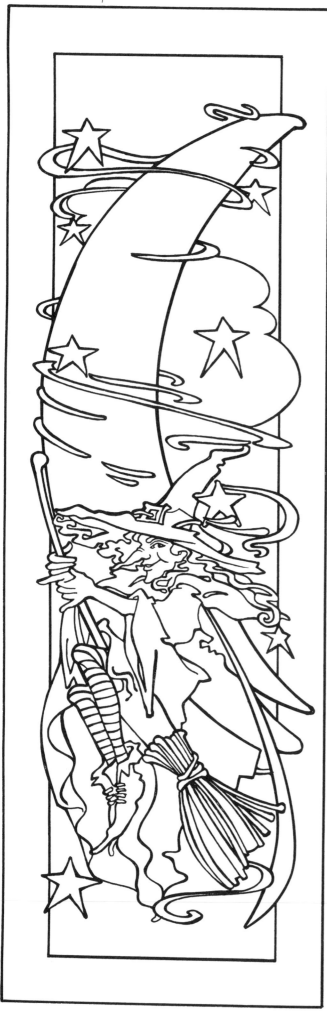

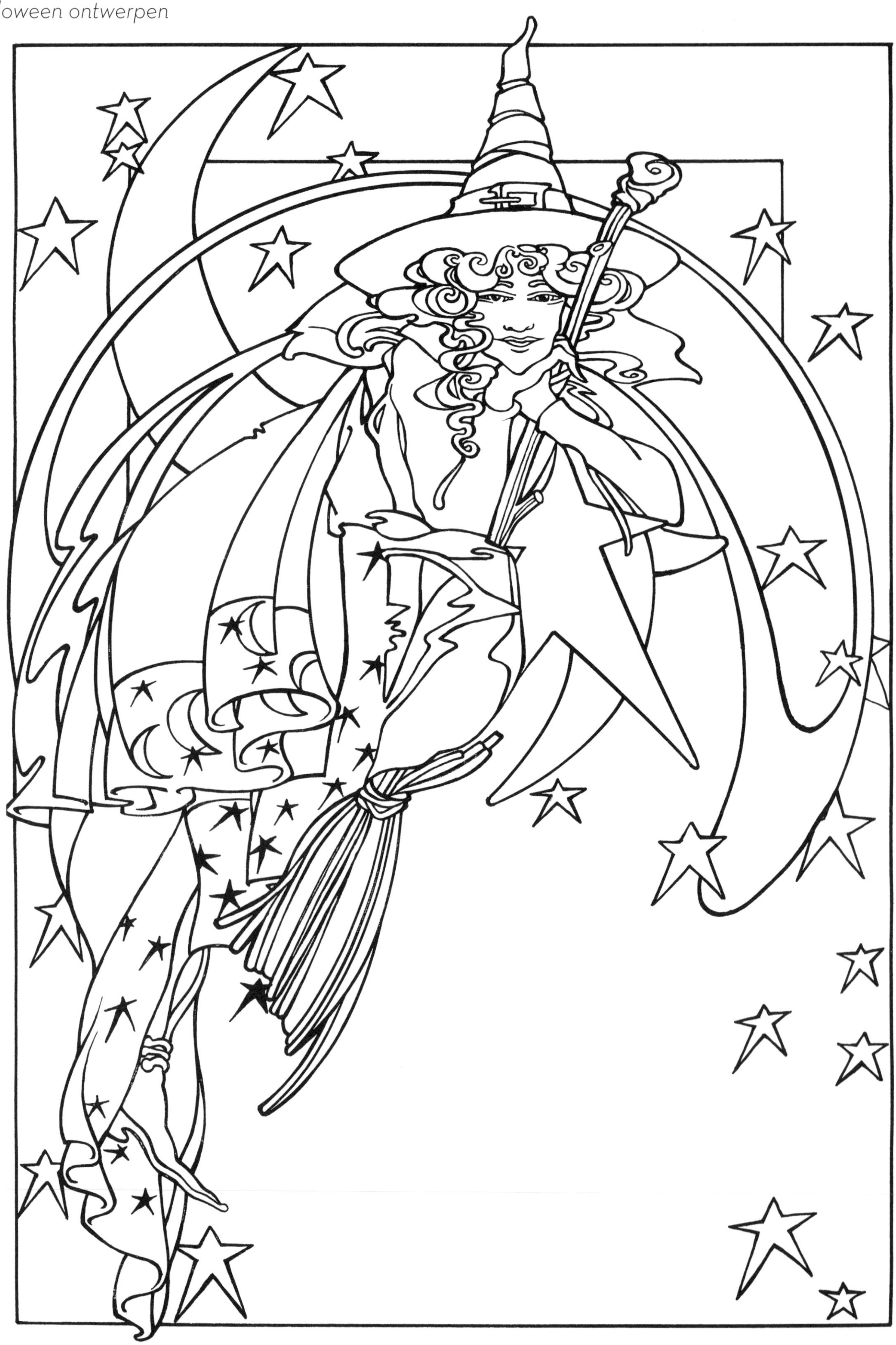

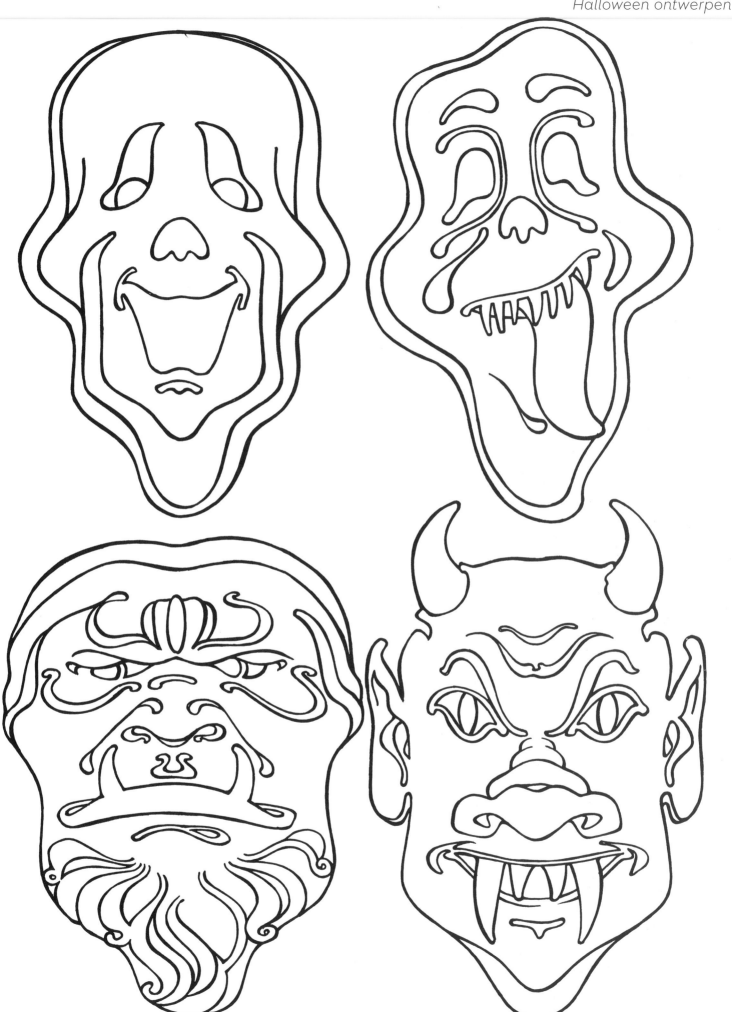

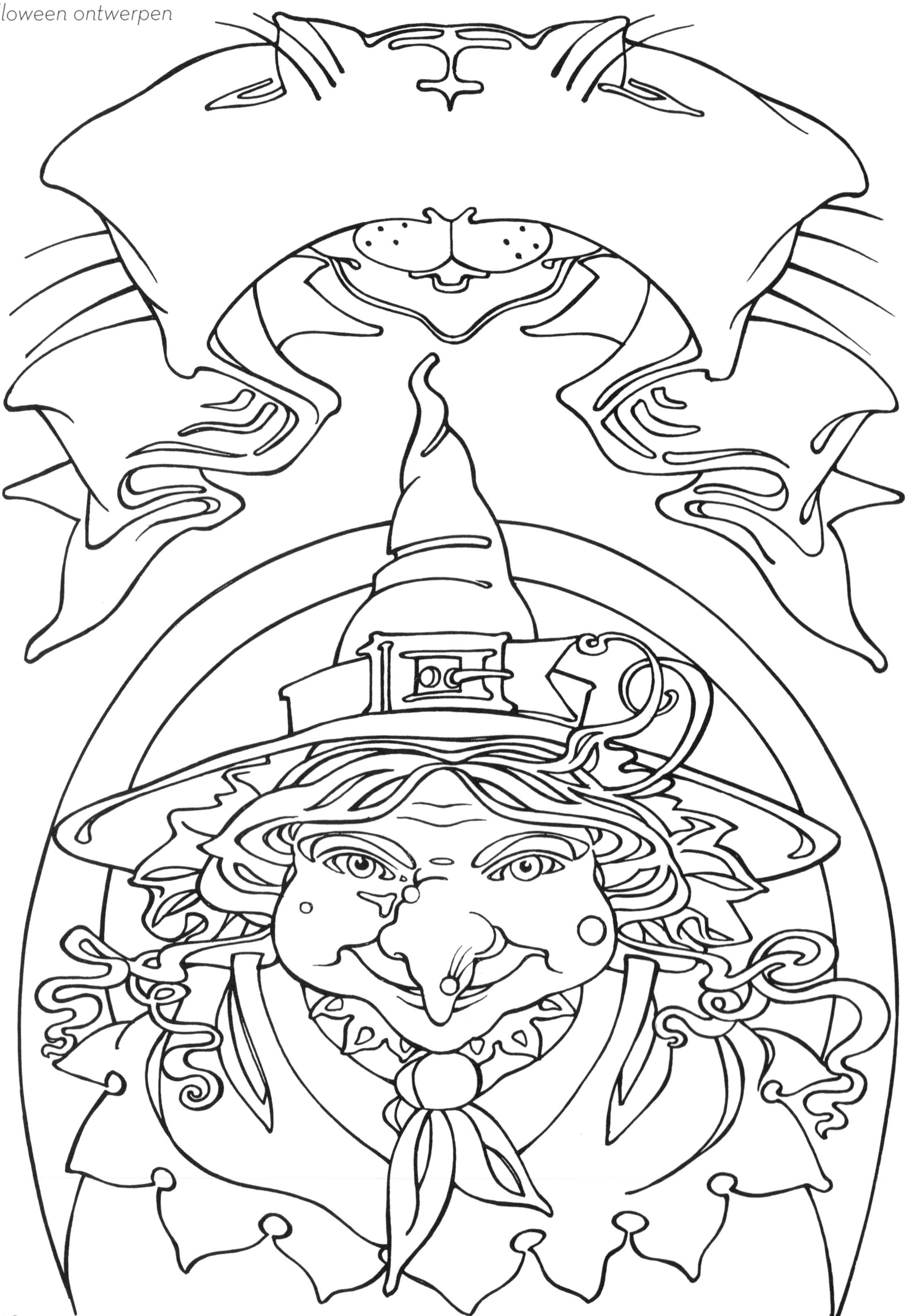

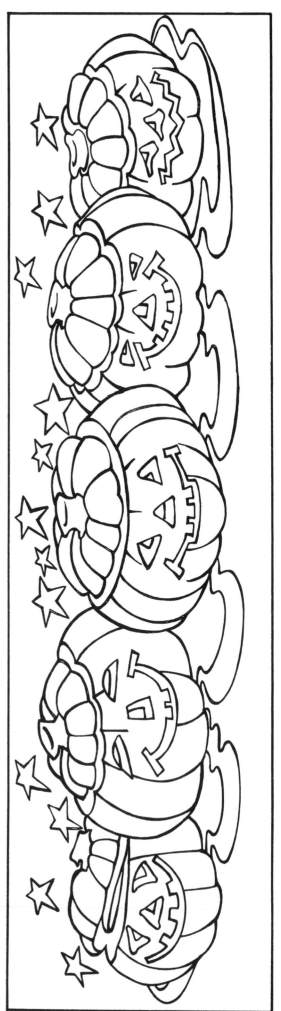

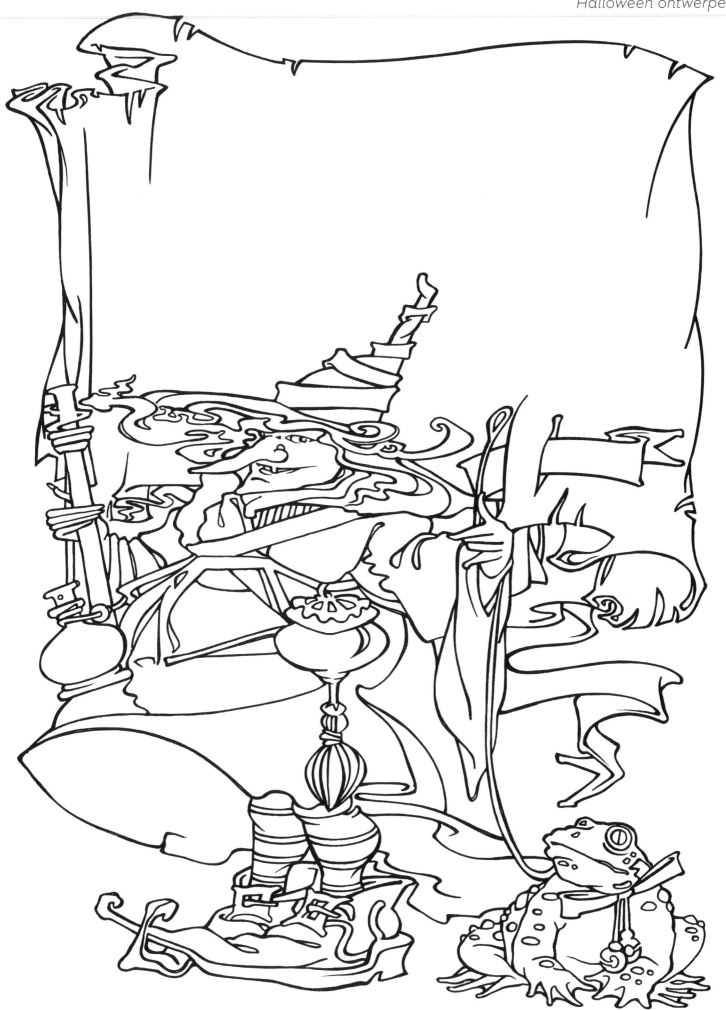

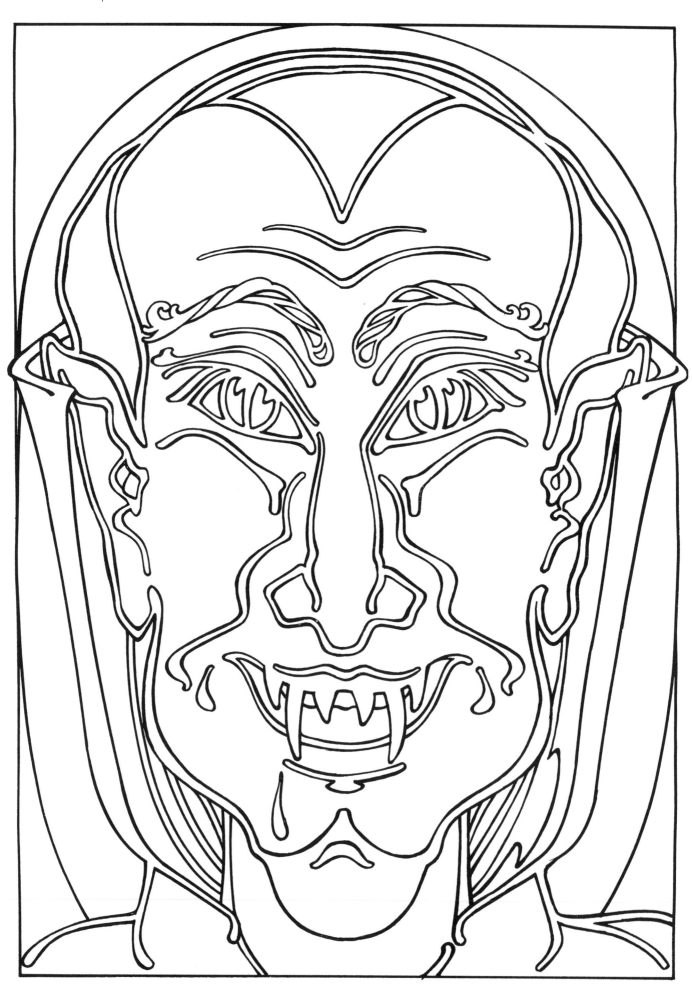

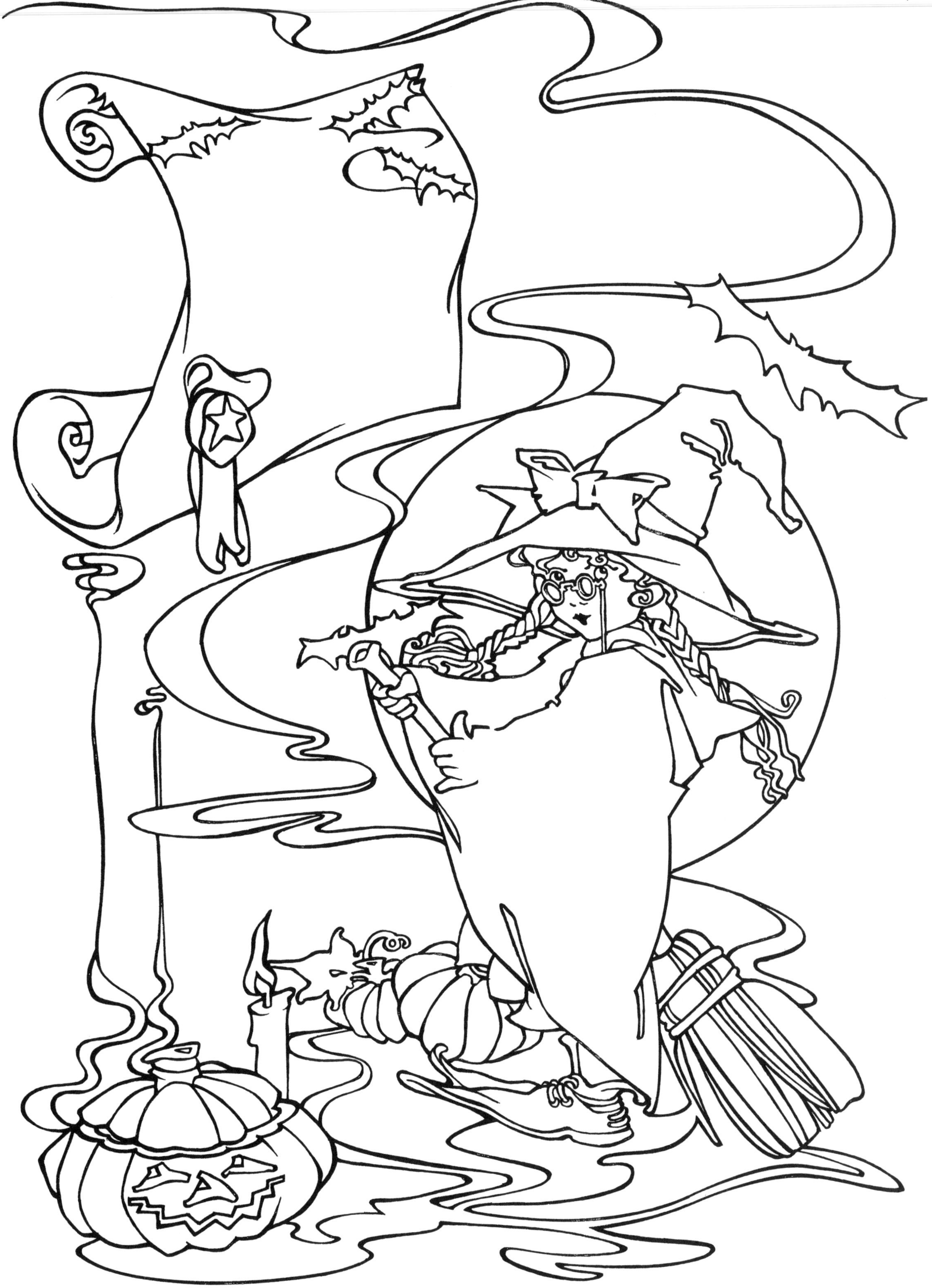

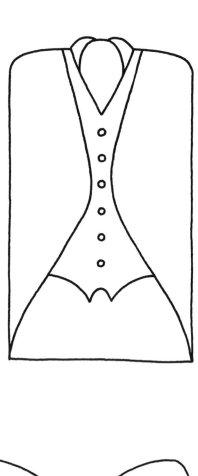

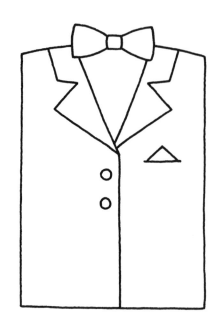

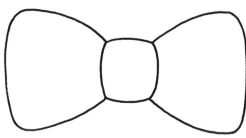

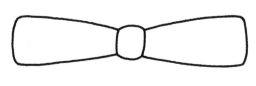

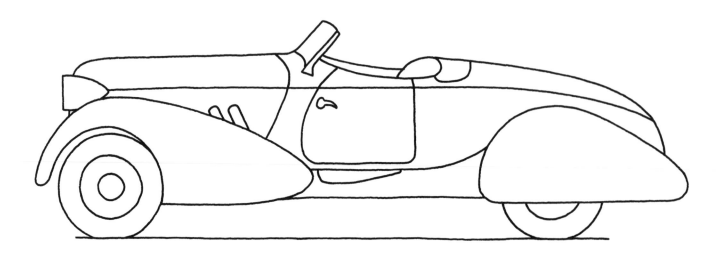

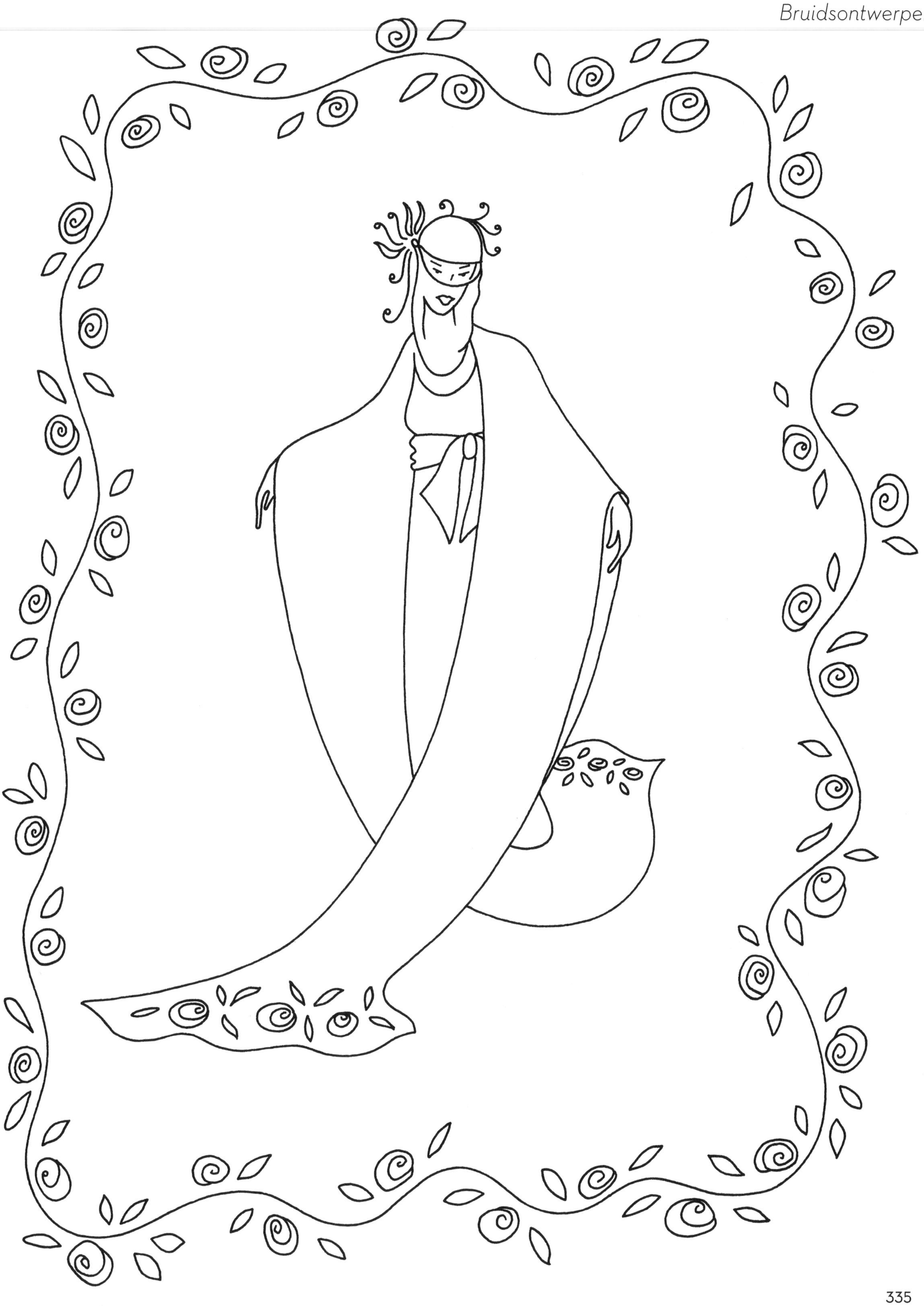

343

Klassische Rahmenmotive • Les bordures décoratives classiques • Diseños de orlas clásicas •
Desenhos de Molduras Clássicas • Randversieringen

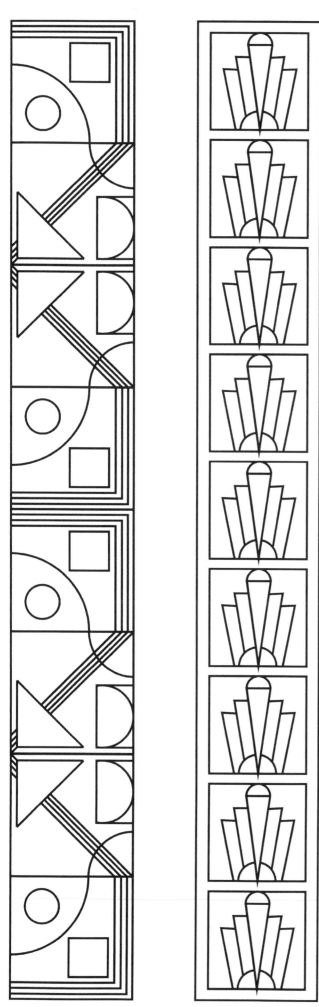
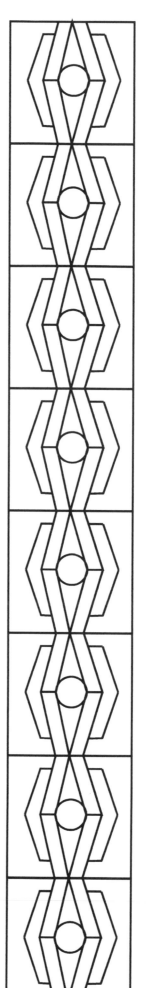
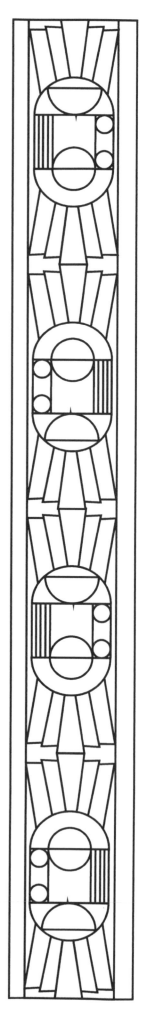

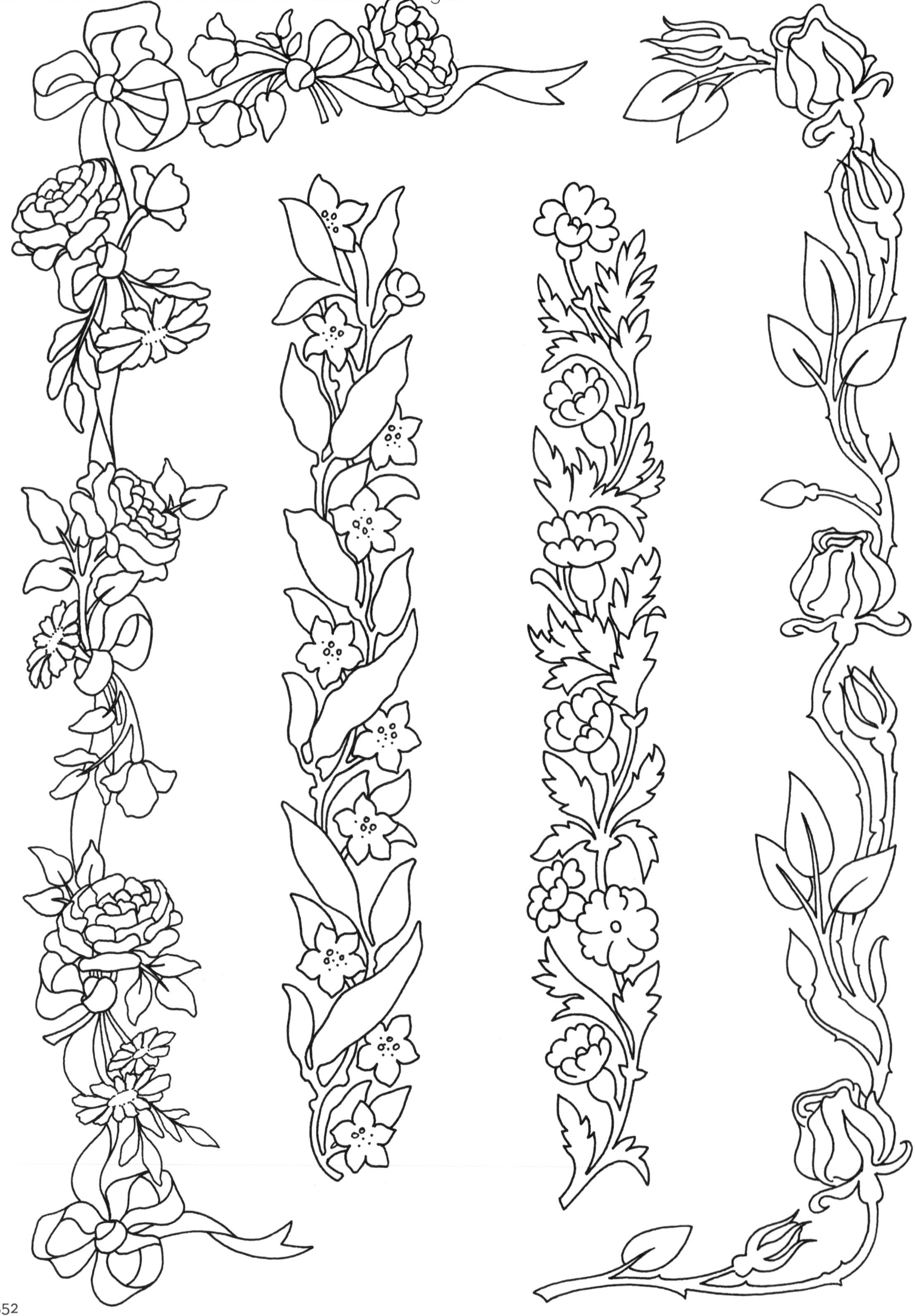

354

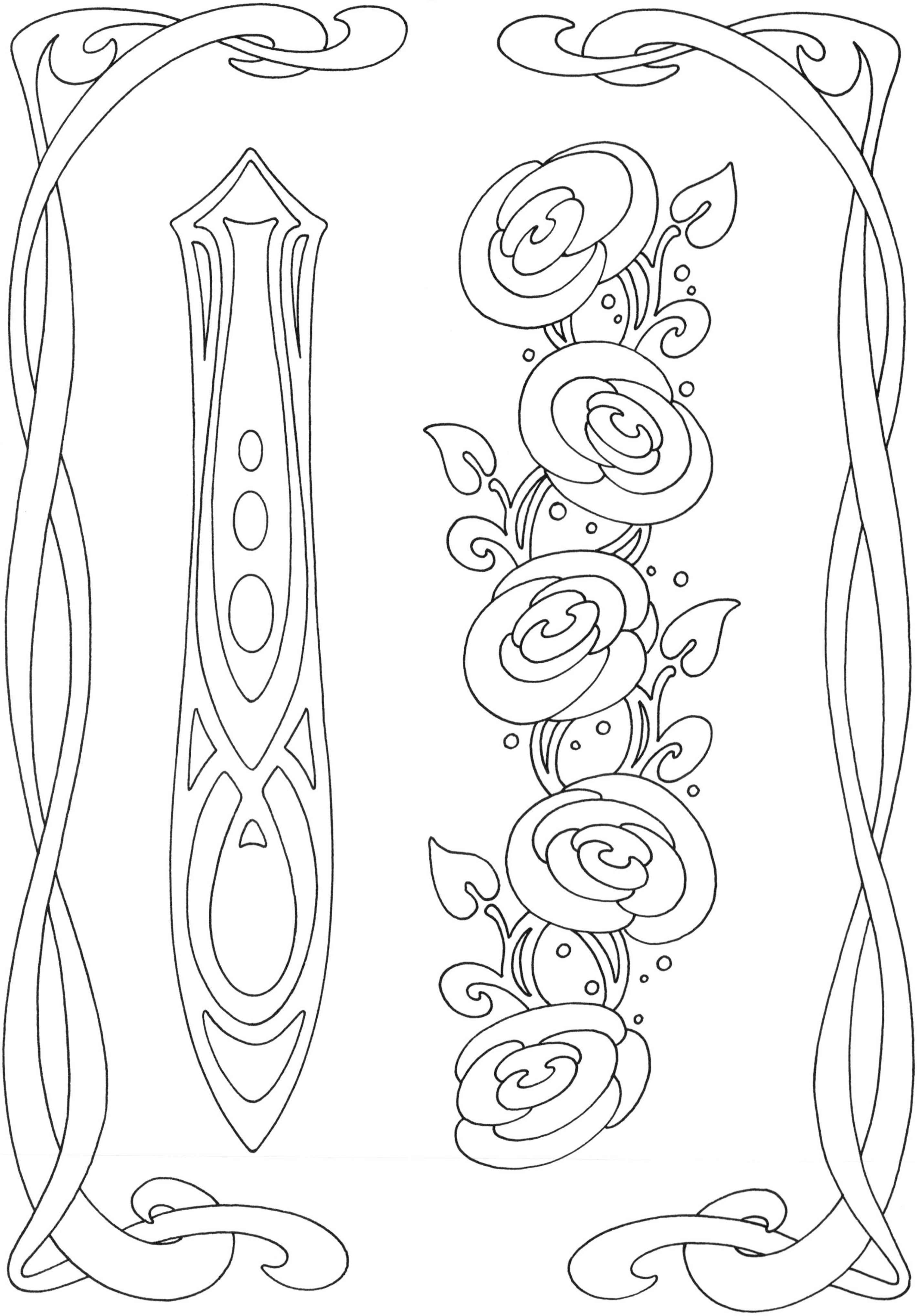

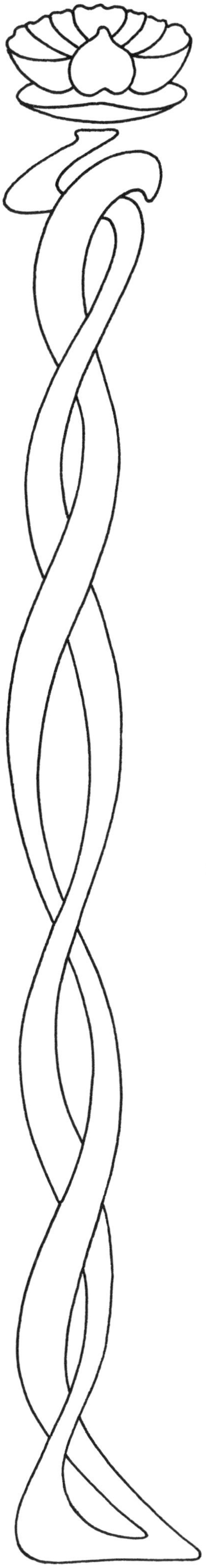

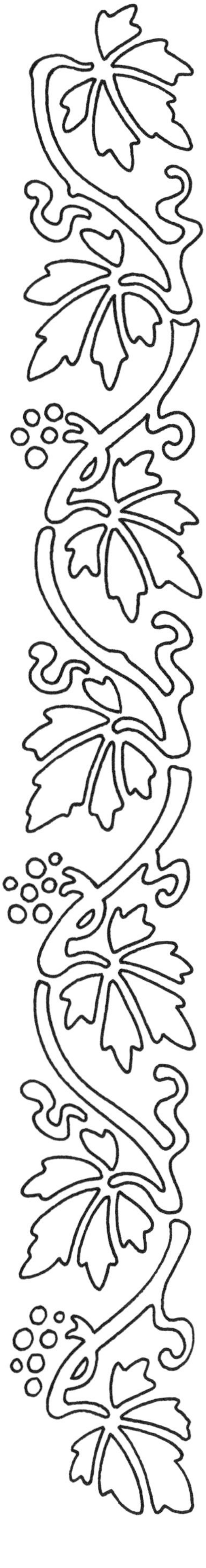

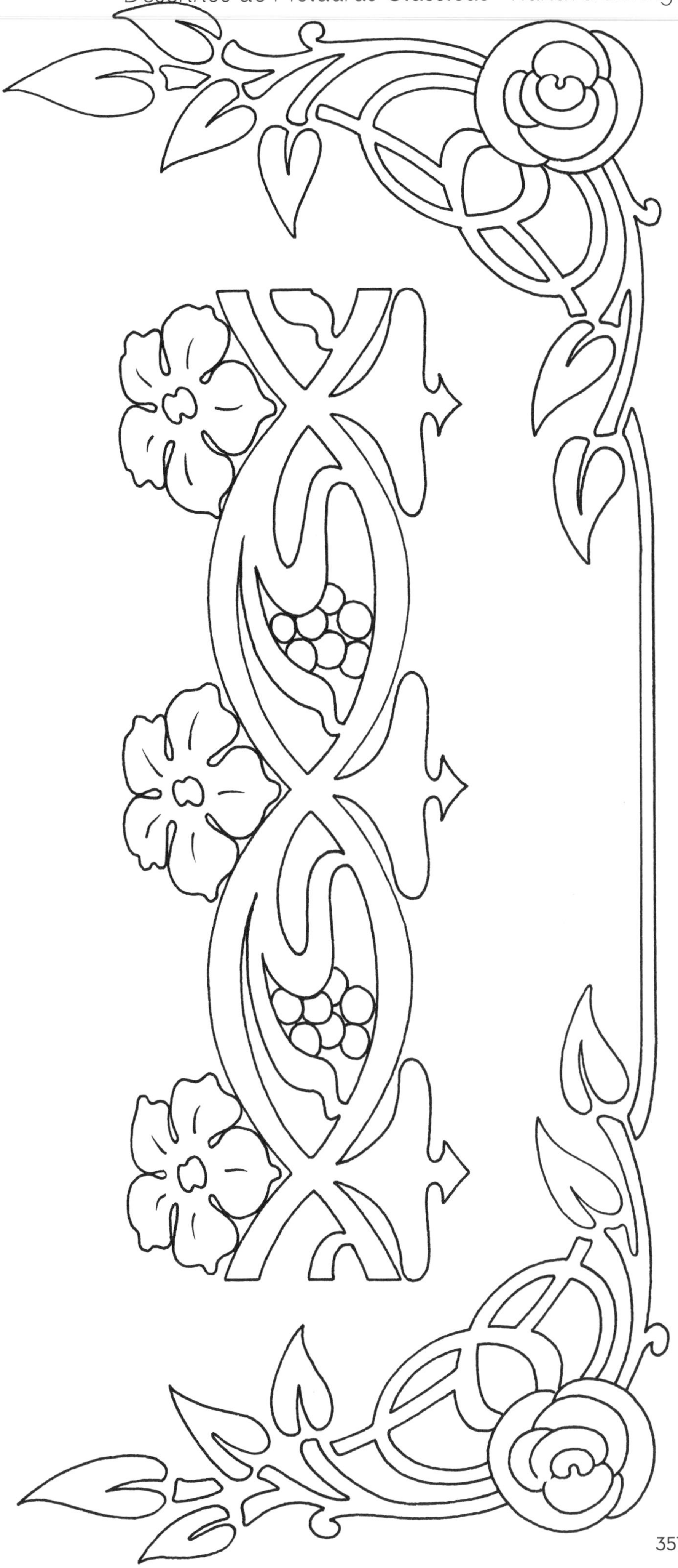

Klassische Rahmenmotive • Les bordures décoratives classiques • Diseños de orlas clásicas •
Desenhos de Molduras Clássicas • Randversieringen

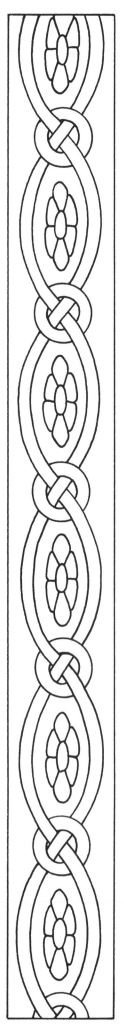

Klassische Rahmenmotive • Les bordures décoratives classiques • Diseños de orlas clásicas •
Desenhos de Molduras Clássicas • Randversieringen

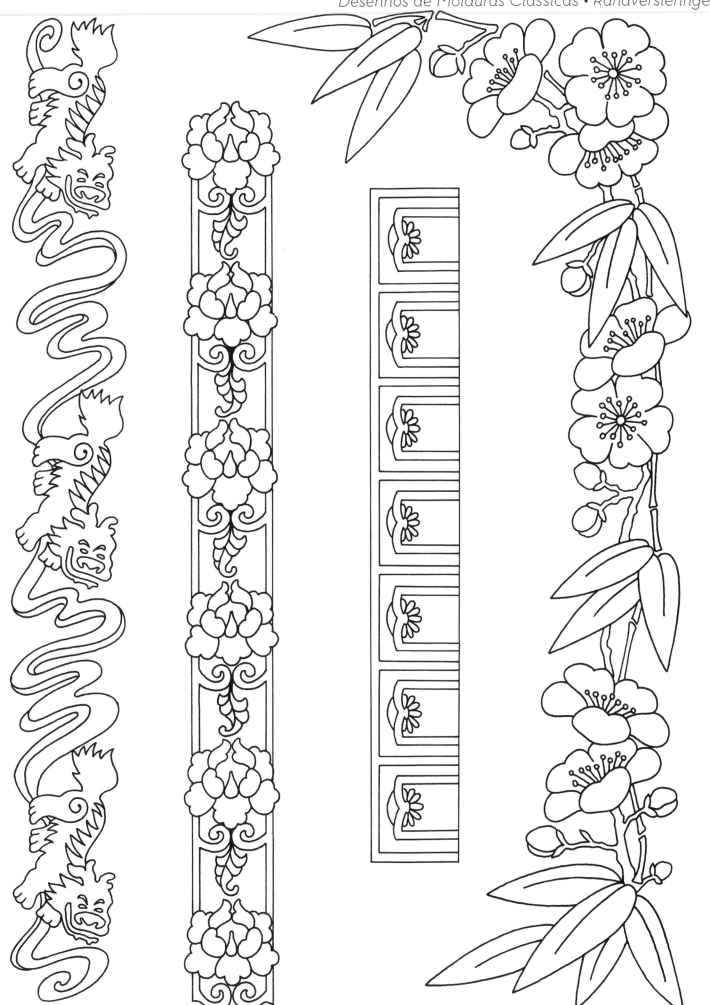

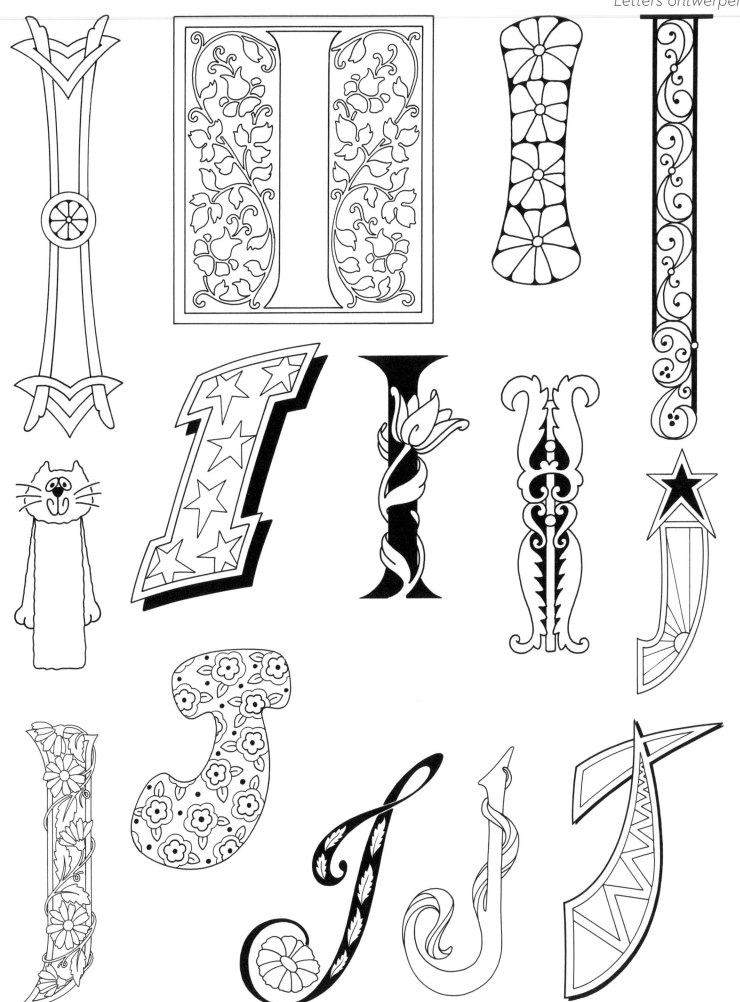

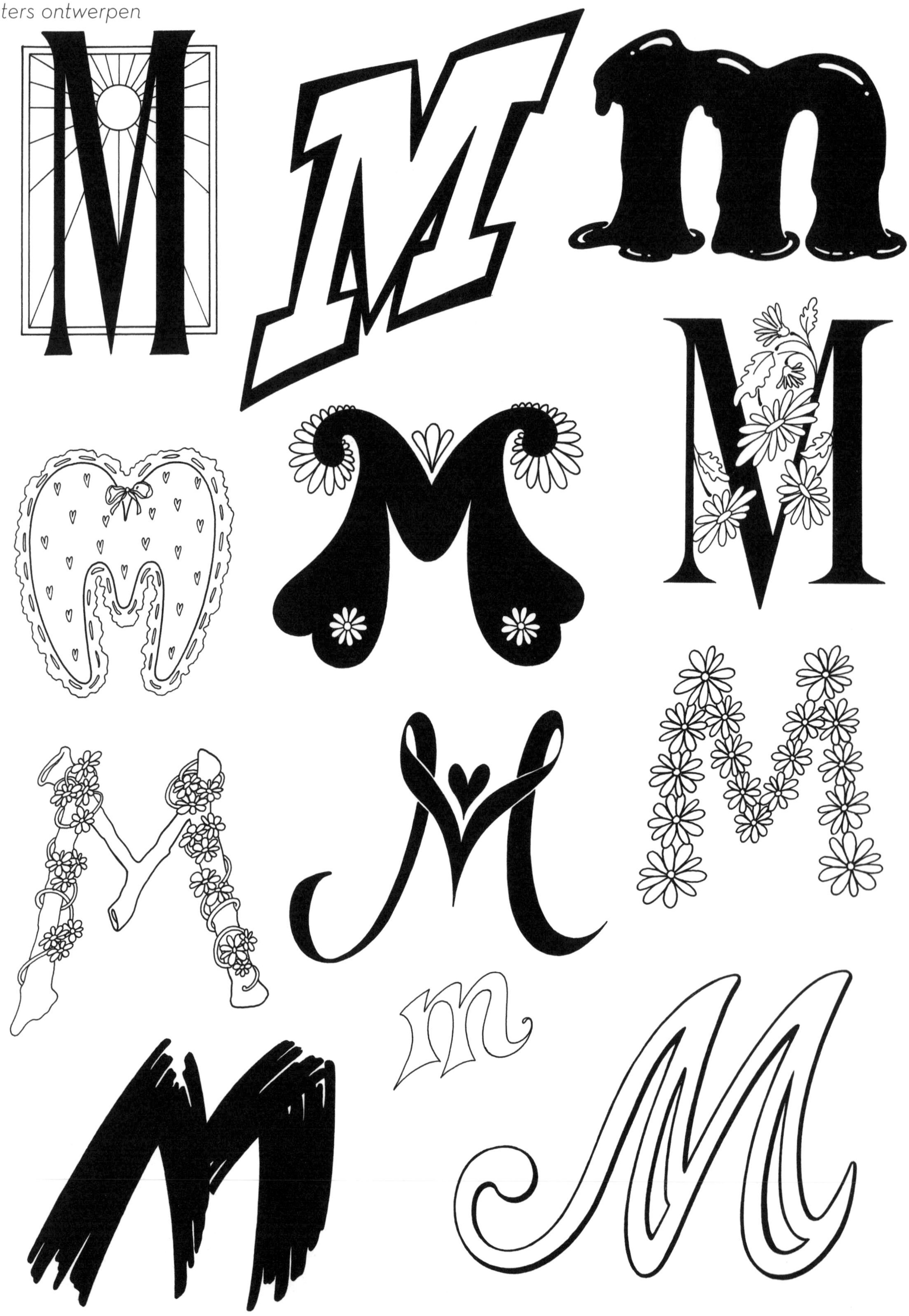

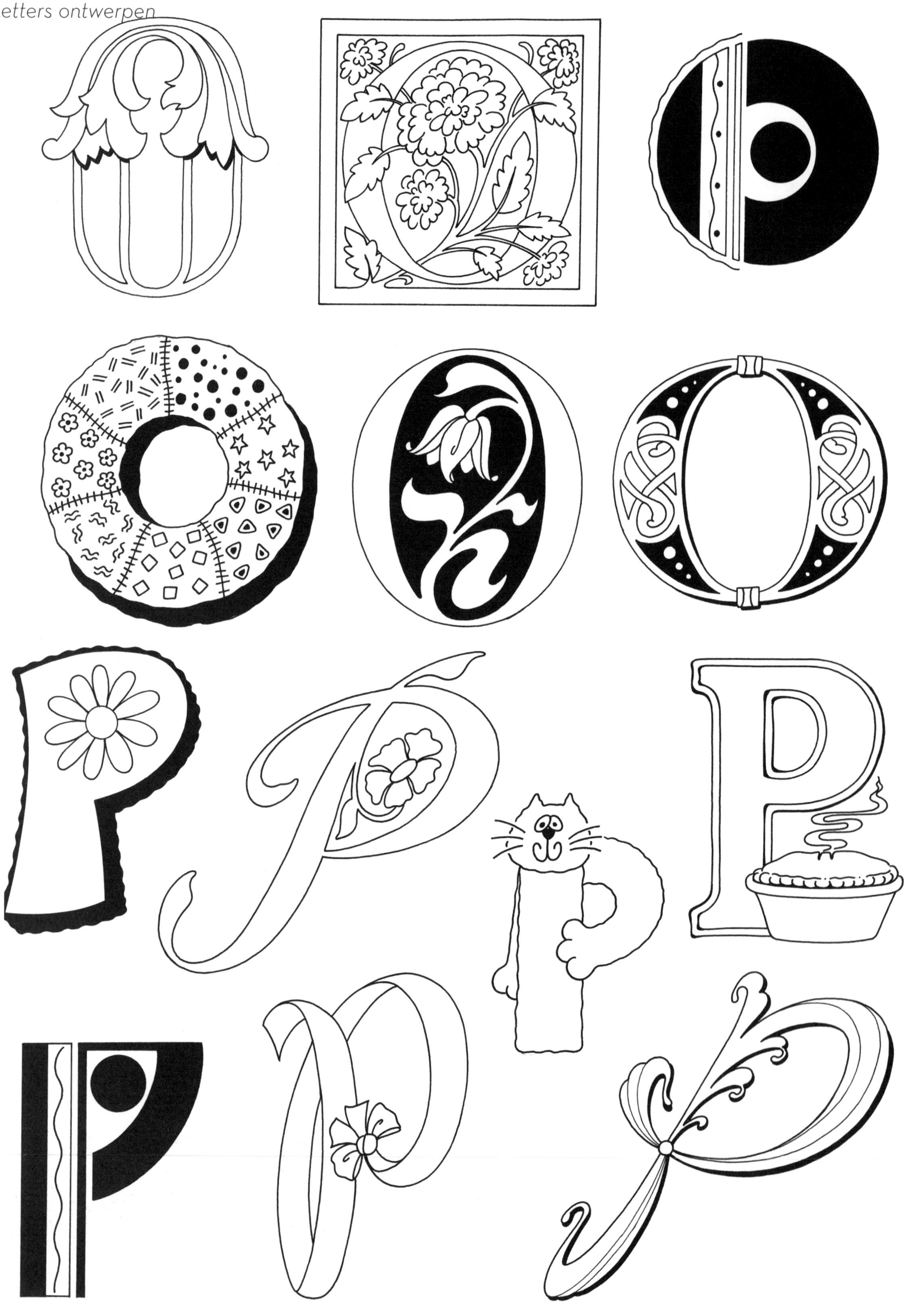

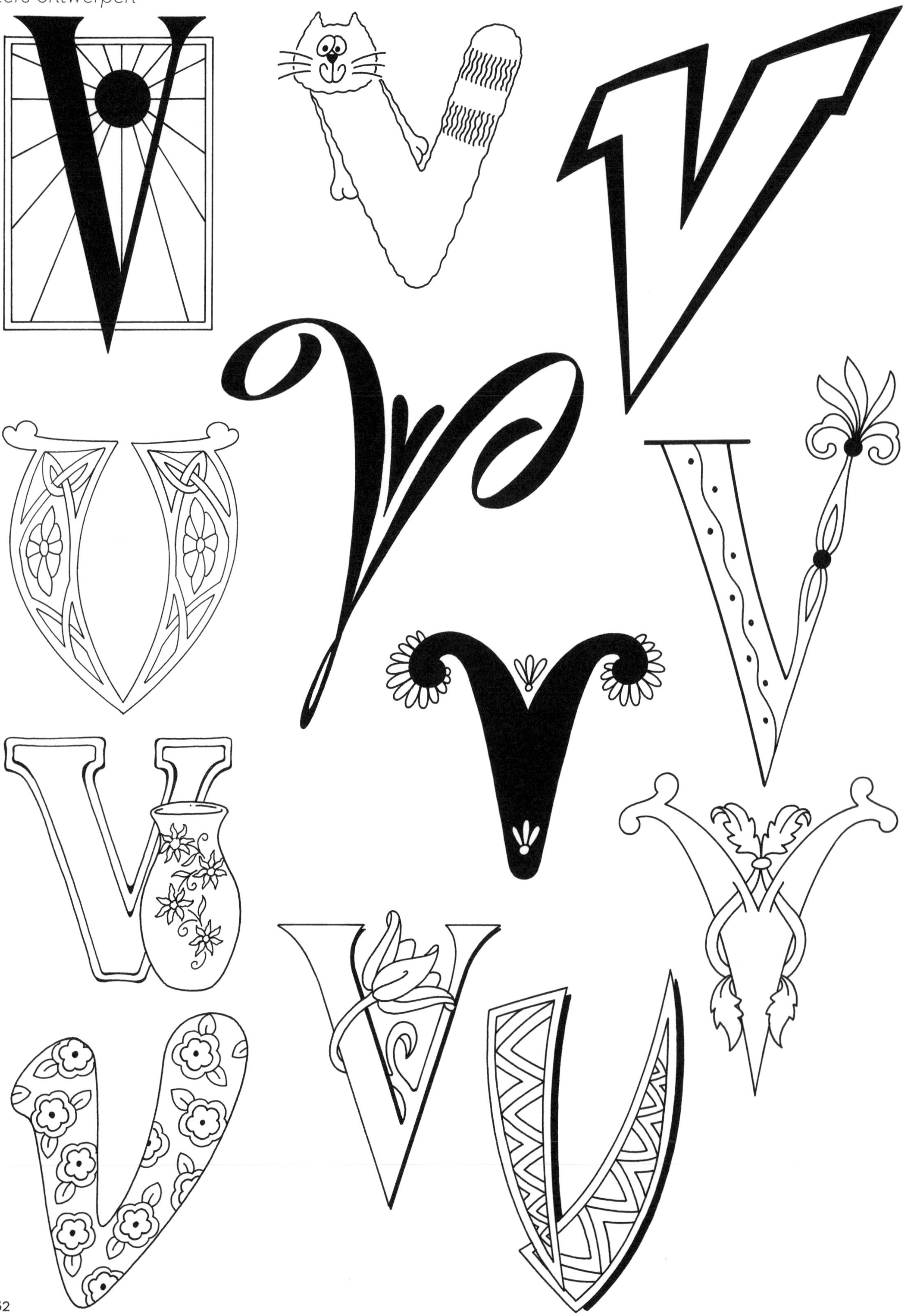

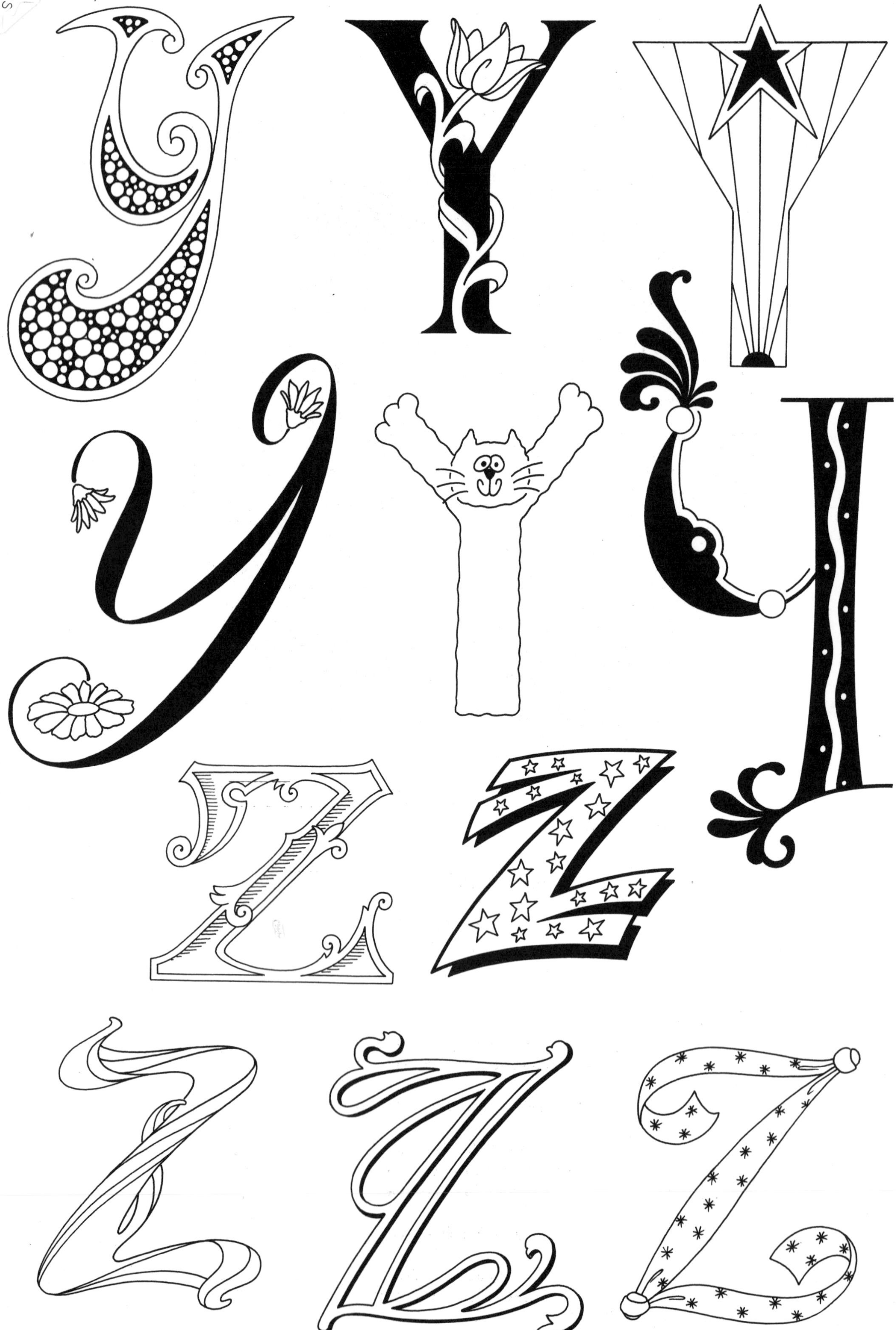